ANDREE LAURIER
L'ETRANGE MAISON D'ELSEVA

Les Editions Humanitas sont inscrites au Programme de subventions globales du Conseil des Arts du Canada

Infographie laser: *Scribe-Québec*

ISBN 2-89396-108-8

Dépôt légal - 2e trimestre 1995
Bibliothèque nationale du Québec
Bibliothèque nationale du Canada
Illustration de la couverture: Gustav Klimt, *La musique I*, 1895

Imprimé au Canada

5780, avenue Decelles, Montréal, Québec, Canada H3S 2C7

ANDREE LAURIER

L'ETRANGE MAISON D'ELSEVA

NOVELLA

à Pierre

Une ville prend du mystère quand on l'a quittée. Avec la distance, Montréal est devenue pour moi une île singulière, où vents et cultures convergent, un lieu robuste où un fleuve bute contre la terre, où l'Europe, une fois, s'est semée. Il a fallu que je m'exile de l'autre côté de l'Atlantique pour mieux voir les gratte-ciel qui y ont poussé comme des antennes, les affaires qui y remuent à l'anglaise et, au beau milieu de tout cela, ces terrasses à parasols couleurs de fruits. Qui la jonchent de plaisirs.

Après une décennie d'absence, j'y suis revenu comme architecte en 1988, pour voir naître un immeuble que j'avais conçu. Mais surtout, je revenais pour faire la paix avec le passé.

Un femme blondement imprévisible m'accompagnait, et nous allions nous jeter tête-bêche dans les moments cruciaux de nos vies. Sitôt débarqué, j'avais loué une voiture blanche. Le premier endroit que j'ai voulu revoir est une maison, l'étrange maison d'Elseva, le lieu déroutant où commence et s'achèvera cette histoire.

La maison était restée pareille, au bout d'une rue grevée d'arbres, sur un flanc cossu de la montagne. Elle était assise dans son cul-de-sac, visible d'en haut, mais pas d'en bas. On ne peut imaginer plus insolente discrétion. De cette maison, on a Montréal à ses pieds, et des édifices entassés dont la ligne commence net, en bas, comme une foison de boutons-poussoirs.

A Florence, j'avais rencontré Gisèle; nous nous étions aimés à l'emporte-pièce comme deux solitaires en mal de pays. Et maintenant, les yeux sur la façade art déco, on retrouvait tous deux l'Amérique.

Elseva ne savait rien de ma visite. Sa maison détestait les formalités. On y était accueilli ou chassé immédiatement. Telle était la maison d'Elseva: sans heure, sans lieu, presque sans adresse. L'immeuble avait une gueule inouïe, un sourire comme le chat du Cheshire, qui attendait Alice. Un sale caractère sous des dehors sereins. Je me suis annoncé dans le rectangle sombre d'un haut-parleur et la porte s'est ouverte sans bruit. Personne derrière.

Quand on entre chez Elseva, on ne se méfie pas, d'abord: on se trouve dans un hall moderne à tons chauds, propre et neutre. Puis on longe un couloir, qui fait de plus en plus ancien à mesure qu'on avance. Soudain, on perd le sens du temps, on cherche l'époque. Et aussi subitement, quand on se croyait aguerri, on se trouve dans une salle de bal au damier de marbre. C'est énorme, comme une éclaircie. On pourrait se sentir tout petit. Elseva soigne ses contrastes...

Devant Gisèle, j'entrais maintenant dans une salle à manger qui ouvre sur une espèce de serre, où l'hiver ne vient jamais. Du pied, j'ai poussé une porte vitrée.

Un grand efflanqué se dressait au fond de la serre, et savait pertinemment qui nous cherchions.

— Je suis Gabriel, dit-il d'une voix qui chantait la samba.

Elseva était écrasée comme un chat dans un grand fauteuil d'osier, par une robe aux couleurs enflammées. Les cheveux aussi sombres et la peau aussi pâle que naguère...

Elle a ouvert, comme un rideau, ses yeux pers. Si parfait, si exigeant était ce visage levantin que mille souvenirs me sont revenus en mémoire. J'ai failli fuir. Son regard ensorcelait, perçait jusqu'à en vriller des fonds d'âmes. Rien ne lui échappait. Mais pour la première fois, je l'ai soutenu sans broncher.

Gisèle enlevait ses gants. Je l'ai présentée à Elseva, ou plutôt, la lui ai pavanée.

— Combien de temps resteras-tu?

— Je ne sais pas encore. Un immeuble à construire...

— Vous vous installerez ici.

C'était sans appel:

— Paul, tu ne fuis pas, cette fois. Pas après dix ans de silence. Reste... le temps de comprendre pourquoi tu es revenu.

Comment répondre? J'avais passé des années, usé des trottoirs de villes, à lutter contre son image et son influence. Elle avait raison, il fallait que je les comprenne, une fois pour toutes, cette maison et elle. Une fois déjà, j'avais escamoté le rite initiatique; à présent, je serrerais les mâchoires.

Je me suis retrouvé les deux pieds sur l'asphalte, et j'ai lancé le temps comme un moteur. Et l'histoire. Avec Gisèle qui tenait encore ses gants dans ses doigts emmêlés. Tandis que je balançais les bagages à bout de bras.

Notre chambre était au deuxième, je la connaissais pour l'avoir déjà vue entrouverte. Mais en dix ans, rien n'avait-il donc changé ici?

Bagages fermés et quiets dans la chambre, je suis repassé par la serre où Gabriel couvait Elseva. Gisèle les regardait de loin, comme envoûtée. Dans un grand miroir, ils étaient trois, réfléchis à l'envers. Trouvez l'erreur.

— Allez, a dit Elseva. Nous nous retrouverons pour le dîner, à sept heures.

Vu de l'escalier, dans le coin de mes yeux, Gabriel prenait congé d'Elseva avec vénération. Près de moi, Gisèle s'était arrêtée, la main ouverte comme une page flottant au-dessus de la balustrade. Elle me regarda du haut de deux sourcils levés.

Elseva compte ses étages à l'européenne. Rez-de-chaussée pour le premier, premier pour le deuxième, et ainsi de suite. La maison m'apparaissait encore comme un grand rébus. Son premier renferme d'immenses pièces fermées, son deuxième les chambres, son troisième est inconnu. Chacune des chambres du deuxième se voulait unique. La nôtre était équivoque: elle nous donnait du Moyen-Orient adapté au Nord contemporain, efficace et voluptueuse à la fois. Des divans d'une part, certains cachant lit; une alcôve de l'autre...

Gisèle s'est aussitôt introduite dans l'alcôve. Ensemble, on a quitté le sol comme nos vêtements, rabattu les rideaux une fois pour toutes. Nos deux corps se sont retrouvés comme le soleil se mourait, cette fois-là, comme des animaux changeants, un bestiaire à deux, enveloppé de musc. Puisque nous.... car c'était bien d'un *nous* précoce dont il s'agissait, nous étions de retour. Nous avons dormi ou rêvé, jusqu'à ce que des bruits nous ramènent au désir dont nous étions partis. Je commençais à connaître son corps, mais ici il me semblait nouveau, plus dense. Ici, nos éveils avaient déjà un son à eux. On s'est vite rhabillés, pour se mettre à suivre les échos d'une étrange musique, qui venait du premier, qui se faufilait sous une porte close.

Là-dedans, un piano jouait du décousu, mais du puissant, qui n'avait rien à tinter avec les musiques connues. Une musique comme un fumet nouvelle cuisine, aux combinaisons inattendues. On a dû deviner notre présence. Le piano s'est arrêté, et Gisèle et moi, on est repartis comme des conspirateurs, sans oser déranger celui ou celle qui se donnait là, sur les touches. On avait le visage ouvert, le nez haut perché, comme si d'autres effluves nous attendaient ailleurs.

Dans la salle à manger, une table était dressée, immaculée. A mettre les papilles au garde-à-vous. Des bougies faisaient danser les verres et, des murs, il sortait des portraits, huile ou acrylique, dans des cadres sans complaisance. Du vrai.

— Je ne serais pas étonnée qu'ils viennent s'asseoir à table, a dit Gisèle qui les admirait, paupières à mi-mât.

— On ne sait jamais ici.

Gabriel entrait, vêtu de noir, le front tourmenté, tout silence. Il dégageait une timidité inquiétante. Un Carioca écorché... Rio doit être une école difficile. La tête tout en longueur, le front trop haut, les bras nerveux terminés par des mains très fines, démesurément longues, évoquaient une telle sensibilité qu'on n'osait pas le regarder trop longtemps. Il ne fixait jamais, mais regardait très intensément quelqu'un ou quelque chose, puis baissait soudain les yeux et ses mains devenaient son visage, se mettaient à parler. Il portait son corps comme un apparat sombre, à la façon des chefs de tribu, mais il donnait toujours l'impression de passer plutôt que d'être vraiment dans une pièce. Ce n'étaient pas des yeux, mais des velours incandescents qu'il avait sous ses sourcils. Qui se sont consumés net sur Elseva, quand elle est entrée.

Elle cinglait à pleines voiles dans une robe blanche, affrétée pour une destination d'elle seule connue. Ses longs cheveux foncés avaient été relevés, pour faire place nette. Il n'y a pas de mot pour dire ce que donnaient ensemble ses traits et ses yeux. C'était trop, beaucoup trop. A générer des partitions; des perditions, même. Mais lointaine! Tout cela, sans ce corps, aurait été sidérant en soi. Si ce n'était ce pan de tissu impitoyable, laissant deviner des formes qui m'ont remué. Ainsi donc, c'était de nouveau «à nous deux!», entre elle et moi. Sans oublier Gisèle, qui regardait en connaisseuse, comme un commissaire-priseur.

— Où elle est, Kathryn? a demandé Gabriel.

— Chez sa mère, a dit Elseva. En ajoutant pour nous: «Vous la rencontrerez demain».

Sa main a effleuré brièvement celle de Gabriel, tandis que Rose, la bonne à la bouche Renaissance, entrait avec les plats. Avec Elseva, on avait l'impression d'être des officiants, réunis dans l'antichambre du mystère...

— Qui jouait du piano tout à l'heure? ai-je demandé.

— Moi, a fait Gabriel, comme vidant ses poumons.

Elseva s'est tournée vers lui:

— Il essaiera de vous dire qu'il joue mal, a-t-elle dit avec un sourire entendu, mais ne l'écoutez pas. Ecoutez ce qu'il compose.

— D'après ce qu'on a entendu, c'est plutôt... enivrant! disait Gisèle.

— Je la commence, cette pièce, a-t-il fait de son accent qui traînait les nasales. Quand ce sera fini, je vous la ferai entendre...

— Bientôt, j'espère, a lancé Elseva.

Mais Gabriel lui a aussitôt jeté un regard de Carioca traqué.

— Kathryn est danseuse, poursuivait-elle. Elle sera ici encore un certain temps, je crois. Vous la verrez demain, si elle veut bien se poser quelque part... Derrière ses paroles, Elseva riait des yeux.

Nous dévêtissions des artichauts du bout des doigts.

— Vous êtes en quelque sorte un mécène, a dit Gisèle dont la voix habituellement coulante avait, ce soir, un bas-fond sournois.

— Si ça vous agrée... Mais ce n'est pas le terme que je choisirais, a répondu Elseva en plantant ses yeux sur mon visage.

Dans un silence subit, Gisèle me reluquait de sous ses cils.

— Et vous, comment vous définissez-vous? lui a lancé Elseva.

— Styliste, à l'occasion... un peu scénariste, et souvent auteur pour enfants ou auteur dramatique. Peut-être même auteur tout court... Choisissez le terme qui vous convient.

Et vlan!, sur le ton d'une comptine. Elles se donnaient gifle sur gifle, griffes à peines rentrées, ces femmes. L'atmosphère prenait du poids à chaque réplique.

Yeux et fourchettes sont restés parfaitement suspendus à l'arrivée d'un étrange bonhomme dans la pièce. Un humain sans âge, front devant, cheveux et barbe couleur de neige propre (il avait dû être plus grand naguère). C'est qu'il était entré comme une pensée, tout dans l'encéphale, sans bruit prémonitoire.

— Karl? a dit Elseva dans un profil tendresse.

Jamais je n'avais vu cet homme ici. Mon séjour avait dû être trop bref.

— Il descend rarement, murmurait Gabriel, tendu comme un bilboquet.

Elseva s'était levée, avait accompagné Karl jusqu'à une chaise restée vide à l'autre bout de la table.

— Parfois — quand il sent que le café sera particulièrement bon, peut-être, a-t-elle dit sans appuyer.

Gabriel s'était muré dans ses musiques à lui, et faisait sciemment partie du décor. Comme un nouveau portrait sorti des murs. Karl sirotait, en apparence indifférent, mais choyé par elle. A certains moments, il penchait le front dans sa direction, comme pour la toucher de ses tempes ravinées. Elle tendait la joue.

— Depuis quand vous connaissez-vous, tous les deux?

Karl haussait les épaules, la tasse dans sa barbe, l'air de s'amuser follement, tout à coup.

— Depuis toujours, a dit Elseva, qui se raidissait en regardant le plafond.

Quelques secondes plus tard, et à peine, on s'est mis à entendre un martèlement au premier, puis des coups de savate de plus en plus saccadés. Et là, glaçant même la nappe, il nous est arrivé un cri strident. Quelque chose s'est fracassé contre un mur.

Elseva était debout, avant même que l'objet ait pu tomber au sol. Karl avançait une main qui disait «Minute!». Mais Elseva était partie et Gabriel, suspendu, à moitié levé de ses bras maintenant ballants, brunissait de partout.

«Cette petite...», a dit Karl, comme une menace.

— Qu'est-ce qui se passe?

— Elle s'est encore... entêtée! de dire Gabriel en balayant la table de ses jointures. Des fois, la pyramide craque, et il faut vite l'arranger, avant que l'équilibre...

— Mmm? faisait Gisèle.

— *Não*, Paul, a fait Gabriel, nous intimant de rester tranquilles. Ce n'est pas la première fois... Le malheur, c'est qu'elle n'a pas de respect pour son instrument!

— Mais... elle est danseuse, il me semble.

— C'est ça, justement!

Gisèle dévisageait la façade comme si elle voulait que je la pince. Au soleil dans le silence. Comme endormie par faute de compréhension, par excès de réflexion, elle m'avait suivi dehors. On était dans l'automne, avec une envie d'ailleurs, de grouillant. Nos pas s'avançaient vers le centre-ville.

J'ai pensé à voix haute: «Dans cette maison, tout se passe intensément. C'est comme ça depuis toujours... Avec plus de couleur, plus de poids.»

— Moui...

— On peut toujours aller à l'hôtel, si tu préfères.

— Ouais, murmurait-t-elle.

Je la comprenais. Tout s'était déroulé trop vite, sans explication. Il faudrait qu'elle s'y fasse...

— Alors quoi?

— C'est comme arriver au deuxième acte d'une pièce ou... au cirque, avant que les trapézistes se lancent. C'est l'énigme en suspens... Je veux rester... pour voir la suite.

Assise à la table d'un café, elle réfléchissait maintenant, le regard en berne. Elle avait lancé des questions infuses. Pour réponse, je n'avais que des trous. Des personnes vues ici aujourd'hui, la seule que j'avais connue était Elseva. Et encore...

— Cette femme, Paul, je ne sais pas ce qu'elle est, mais je pense qu'elle est dangereuse. D'abord elle est trop belle, et elle parle comme si elle avait cent ans.

Tout ce qui l'entoure a l'air irréel. Comme au cirque, justement. Mais en beaucoup plus trouble... Ce Karl... Et ce Gabriel? Quel déraciné...!

— Et, crois-moi, Kathryn est aussi géniale que lui...

— Comment peux-tu en être aussi sûr?

— C'est comme ça, chez Elseva.

— Où est-ce qu'elle les prend?

— C'est pas de l'élitisme. Pas tout à fait. Quelque chose de plus complexe encore. Mais quoi...

— Oui, quoi?

On en était là, dans un café achalandé, où tout se passait comme dans la vraie vie. Gisèle examinait les passants, les clients attablés, et faisait des yeux le tour du monde visible. Elle pouvait rester des heures, à sentir ce qui se passait autour d'elle, sans bouger, à méditer en Technicolor. J'avais pris l'habitude de la laisser faire, en lisant. Mais cette fois, elle s'est levée d'un coup, avant son temps.

— Tu viens? Entre l'ordinaire et Elseva, je préfère le monde d'Elseva. Je suis prête à tout... parce que je pense que je commençais à m'ennuyer... profondément.

Moi, j'avais fui cette maison une fois, et c'était assez pour mon amour-propre.

Pendant qu'on regravissait la montagne, marchant inexorablement vers la maison qui attendait, bouche ouverte, Gisèle s'est mise à m'engueuler à sa manière. M'engueuler, c'était prévisible, peut-on croire, mais de la part de Gisèle, qui vivait en légèreté, indépendante et insoucieuse comme un papillon, tout à fait inattendu! Voilà qu'elle ne resterait pas dans n'importe quelles conditions. Qu'elle n'endurerait pas que je batifole avec Elseva, même sous torture. Qu'elle réagirait ferme, et partirait sans préavis, aussi vite qu'elle était venue. Etc.

Je l'ai laissée parler...

Je me rappelle ce soir-là, comment l'oublier? Il était tard quand on est rentrés. Rien ne bougeait dans les rues, sinon les feuilles mortes, qui faisaient mine d'avoir la peur aux trousses. La bruine restait agglutinée aux réverbères. L'air avait l'haleine chargée. Comme les premières minutes d'un mauvais film d'horreur. Et ça s'est cristallisé soudain dans la maison, en pleine pénombre.

Karl montait les escaliers, une femme dans ses bras, plus ployé que jamais. C'était Elseva, les cheveux défaits, qu'il portait comme une statue brisée. Il gravissait très lentement les marches, en lui parlant doucement, comme à une enfant. Elle était pâle et immobile à en frémir. Il ne se doutait pas de notre présence sur le seuil. On n'osait même pas peser dans nos souliers... Ils montaient en devenant de plus en plus sombres....

Je me rappelle le plafond de notre chambre. Parce qu'on l'a longuement fixé, en silence. Le sommeil nous a finalement soufflé dessus, vent de malaise, chargé de rêves décousus. Que d'édifices j'ai devinés en une nuit! Dressés dur comme les bornes d'un chemin imprévisible, leurs dimensions presque éclatées, géniaux, mais menaçants, on dirait qu'ils m'attendaient. Quelque chose s'est mis à m'appeler, si fort que je me suis réveillé, dans une chambre lourde de silence. Pas de voix autour, mais une présence, une silhouette sombre qui nous regardait, immobile au bout du lit. Elseva! Elle avait lu mon rêve, je l'aurais juré. Le blanc de ses yeux mi-clos pesait sur nos corps nus, débusqués. Elle se tenait là, lourde du présent et... de tristesse, comme quelqu'un qui s'est perdu et ne peut plus revenir. M'avait-elle suivi dans mon sentier fou? Avant que j'aie pu lui demander quoi que ce soit, elle s'était volatilisée.

Et là, au petit-déjeuner, elle nous attendait, l'œil vif, le teint radieux, comme si la nuit avait été une illusion.

Elle me souriait intimement, sans mélancolie. Debout comme une hôtesse parfaite. Son expression me plantait en corps un désir-mystère, torve, tout différent que celui que j'avais pour Gisèle, qui était simple et franc, sans ambages. Pantois, j'avais deux désirs comme une présence jumelle, furibonde entre nous trois. Et ce bijou, cette larme de lapis-lazuli qui lui tombait dans l'abîme de la gorge, sous un visage que je n'avais jamais vu maquillé, aux traits fins comme taillés dans un marbre exotique! Je me suis tourné vers Gisèle, pour m'abreuver de sa blondeur, de ses traits carrés et sans ombres, qui étaient tout près, à ma portée sur la chaise voisine.

— Où sont les autres? ai-je dit pour respirer.

Elle n'a même pas répondu. J'ai soupçonné un instant qu'elle avait fait disparaître Gabriel et Kathryn.

Erreur. Parce qu'il est arrivé un petit bout de femme dans un tournoiement de minijupe, de jambes lestes et de cheveux multicolores en dents de scie, qui a zébré la pièce comme un éclair de rire. Kathryn. Elle a minaudé un instant contre Elseva qui l'a stoppée net, les mains sur sa taille, pupilles en rayons X. Pas de cabotinage avec Elseva.

Achevant ma pensée, Elseva a dit:

— Ce sera une audition dont ils se souviendront longtemps.

Ça lui sortait du fond de la gorge, sous cette larme bleue.

— Tu parles! a fait la Kathryn, avec ses yeux en amandes grillées.

Déjà, ce feu-follet s'éclipsait après deux gorgées de café à peine, chassant du creux de sa paume un bout de mèche mauve qui lui battait le sourcil.

Elseva aussi s'éclipsa, autrement. Sa pensée vida les lieux, vers la danseuse peut-être. Ou, qui sait, vers autre chose encore. Je me demandais de quel monde elle venait, à la voir ainsi recueillie, la main pliée sur la larme de pierre, le regard baissé. Et quel âge elle pouvait avoir dans notre temps à nous... et pourquoi elle n'en parlait jamais, pourquoi il ne semblait jamais y avoir de passé fixe, avec elle. C'est dans des instants pareils qu'elle était la plus étrange. Et on n'osait même pas lui parler, de peur de la déranger. Une totalité en soi, était Elseva; comme un roc, ou un cataclysme.

Si bien que moi et Gisèle, on mangeait en catimini. De temps en temps, Gisèle la reluquait comme en passant, flairant quelque chose qui m'échappait. Les femmes savent se lire entre elles. Est-ce aussi pour cela que j'avais emmené Gisèle ici? Je ne savais pas encore ce que je sais aujourd'hui.

Sans composter de billet de retour, Elseva est revenue à notre espace-temps. Pour se lever d'un coup, avec à peine un froissement de tissu. Ses mains se sont posées sur nos épaules: «Venez, j'ai quelque chose à vous montrer.»

— Il faut que j'y aille, j'ai rendez-vous avec les entrepreneurs sur le site.

— Il vont t'attendre, ça ne prendra qu'un moment.

Par un petit couloir discret qui allait vers la montagne, on a débouché dans un atelier dont un des murs, tout de verre allumé, donnait sur une cour intérieure. La lumière impitoyable y faisait un espace fou, dans des coulis de vent d'automne, déjà pressant. Et là, deux statues de marbre étaient penchées sur un bloc à peine dégrossi poussant sous leur protection: c'étaient deux colosses, comme érodés d'un flanc de montagne, puis extirpés de force, lâchés dans les éléments. Et qui semblaient penser, supputer, subjugués par la troisième figure à naître, beaucoup plus légère. De vieux dieux telluriques, conçus dans une perspective sans reproche, comme si l'homme les surprenait en train de l'épier.

Et voilà, on se sentait interpellés, comme par tout ce qui se créait dans cette maison. Jusque loin dans les viscères, dans une mémoire oubliée.

— Piotr, a dit Elseva, comme si elle avait entendu notre question muette.

Le choc passé, Gisèle s'est approchée de l'œuvre, a tâté un socle de marbre et s'y est appuyée pour mieux regarder l'autre sculpture. Je suis parti à ce moment-là, emportant l'image de son menton levé en triangle, de ses mains ouvertes. Ce qui a suivi, elle me l'a appris par la suite.

Le vent se leva, balaya la poussière de marbre jusqu'à ce que Gisèle en soit couverte. Elseva laissait faire avec l'air d'avoir tout son temps. Puis, elle lui dit de la suivre jusqu'au deuxième, dans une salle d'eau meublée d'un seul bain romain, mais gigantesque. Où Elseva entra jusqu'aux cuisses. Vêtue.

Gisèle est d'une dignité toute simple dans la nudité, comme si elle ne se savait pas appétissante. Elseva la regarda enlever ses vêtements, lui offrit un verre de liqueur dorée, son hydromel, et continua de l'observer tout au long du bain, sans parler, sans bouger. Quand Gisèle fut sortie de l'eau, Elseva l'examina de plus belle, et lui tendit un peignoir.

— Bienvenue, dit-elle. Ne cherchez pas trop vite à comprendre ce qui vous fascine ou ce qui vous trouble ici, vivez d'abord à fond. Vous avez ce qu'il faut. Plus tard, j'aurai quelque chose à vous proposer. En attendant... Vous n'êtes pas encore allée à la bibliothèque, au premier. Allez voir, vous l'aimerez...

Elle descendit.

— A propos, dit-elle dans l'escalier. Ne me cherchez pas inutilement dans cette maison, elle est grande. Je serai là aux moments voulus...

Gisèle se changea, et s'assit, intriguée, à côte du peignoir. Par tropisme, elle avait une capiteuse envie de suivre Elseva, comme, toute petite, elle voulait l'odeur de sa mère ou de sa sœur aînée. Elle s'assoupit, avec des mains de bambine enfouies dans le tissu éponge mauve.

Elle se réveilla avec un frisson: quelque chose n'allait pas. Le silence dans la maison était fluvial. Elle y plongea jusqu'au premier, et vit Gabriel collé comme une sangsue au mur.

— Ne descendez pas, dit-il. Il ne faut jamais s'interposer!

Gisèle se raidit, entra de reculons dans la bibliothèque, où chahutaient des rayons de titres en polyglotte. Au début, elle continua de prêter l'oreille à ce qui pouvait se passer en bas, mais bientôt, elle se perdit dans les livres, séduite.

Après une heure ou deux, Gisèle finit par se lever et descendre. L'impression de violence revenait comme des relents de miasmes: quelque chose s'était brisé ici-bas.

Elseva était dans la grande salle en damier, agenouillée sur le plancher, penchée sur des toiles crevées. Entre sa main sur la joue et ses cheveux emmêlés perçait un œil arrondi, inondé. Et son autre bras s'allongeait sur une toile comme sur une peau. Voyant Gisèle, elle se cambra toute, la cloua sur place d'un simple regard. Sa seule respiration, intense, souterraine, était une sommation à disparaître.

Gisèle sortit, marchant de côté, vers la porte extérieure. Je lui suis tombé dessus un peu plus tard, arpentant le trottoir sous les arbres. Elle brûlait de me dire...

— Un artiste qu'elle encourage aura eu un moment de folie, ai-je conclu.

— Mais il n'y avait personne avec elle!

— Il a dû fuir, après avoir détruit des tableaux à lui.

— Comment sais-tu que c'est un homme?

— Peu importe.

— Et Gabriel qui a eu peur d'intervenir, qui m'a empêchée de descendre!

— Tu sais, je connais des tas d'artistes qui prennent, revendiquent, reçoivent, et réexigent; peu qui savent remettre, au fond. Elseva sait ce qu'elle fait. Personne n'est assez fort pour elle. Sauf peut-être ce Karl...

J'avais les bras en équerre autour d'elle, comme amour et contenance.

Gisèle. Une peau de crème glacée, résonnante de blondeur, presque nacrée. Un menton assez carré, et des pommettes larges, dorées six délicieux mois par année. Des yeux noisette en vitrail, et un haut de nez large, comme le museau d'une jeune lionne, qui vous dit qu'elle peut facilement se foutre du monde entier.

Et j'avais tout cela à côté de moi. Moi. Qui ai un visage de comptablc, ou d'agent de bord! Heureusement que mes yeux foncés percent un peu cette maudite normalité. Que mon nez, vu de près, a l'air un peu rapace. Gisèle savait et sait encore le trouver... Mais suffit.

Peu de temps après l'épisode des tableaux sabotés, la grande salle était propre et vide, Elseva complètement disparue. Kathryn travaillait dans le studio de danse, à juger d'après les claquements rythmés et étouffés qui nous parvenaient. Quant à Gabriel, il avait dû détaler au plus fort de l'action, et n'était toujours pas rentré.

— Si elle ne veut pas qu'on la trouve, Gisèle, on ne la trouvera pas. Ça, je le sais d'expérience.

— Tu charries. Et ses appartements à elle? Elle doit bien être quelque part!

— Personne n'est jamais allé dans sa chambre. Tu peux compter là-dessus. Je me demande d'ailleurs si elle se trouve vraiment au troisième... Pas un chat n'ose y monter.

— Je suppose qu'elle a droit à son intimité... A sa place, en tout cas, j'y tiendrais.

Gisèle m'a emmené dans la bibliothèque, qui avait pas mal changé depuis l'époque où j'y venais, étudiant. Les livres avaient poussé sur les murs comme des champignons. En dix ans, la collection sur l'architecture s'était enrichie. Ça m'intriguait trop, j'ai plongé dans de nouveaux ouvrages sur la résistance des matériaux, pour voir si les pages en avaient été usées par des doigts, souillées d'haleine.

Près de moi, Gisèle s'était mise à écrire, à genoux touchant. Un peu plus tard, quand on s'est mis à s'embrasser parce que nos yeux s'étaient posés inopinément sur nos bouches, Elseva s'est matérialisée près de nous. Gisèle, qui l'a vue aussitôt, s'est dégagée dans une aura rosie. J'ai montré les dents, et j'ai apostrophé Elseva. Qui ne m'entendait même pas.

Elle allait et venait dans un interminable vêtement noir qui brossait contre les chaises, avec des soubresauts qui tranchaient dans sa langueur.

— Cet après-midi...

— Qui était-ce? demandait Gisèle.

Elseva a eu un geste las, peu caractéristique.

— Bern Skiller, a-t-elle dit à mi-voix.

J'ai sursauté. J'avais connu Bern à l'époque où nous avions commencé à fréquenter cette maison, lui et moi. Génial, troublé, il avait connu une certaine notoriété. Mais depuis quelques années, rien...

— A l'instant où nous parlons, a murmuré Elseva, il se tue.

Son front s'est approché, a grandi en pâleur, et elle l'a vivement détourné.

— Ça ne peut pas être vrai! Pas lui!

Pour une fois, elle s'était maquillée et, cachée sous du fard comme sous une première neige, j'ai aperçu une ecchymose qui tachait sa joue.

— Qu'est-ce qui est arrivé entre vous? a demandé Gisèle d'une voix retenue.

— Ça doit rester entre lui et moi.

— Gabriel et Kathryn le savent-ils?

— Non. Je ne veux pas qu'ils le sachent...

Je ne pouvais pas parler. Gisèle avait pris les choses en main. Ce n'était pas comme elle, mais... Moi, je les entendais, sans écouter ce qu'elles disaient. Je pensais à Bern, à sa fougue, avec le goût de briser des meubles.

C'est tout, c'est assez. Je ne les voyais plus, pas même Elseva quand elle est partie. Si j'avais réagi, cette fois-là, la suite de nos vies n'aurait pas été pareille. Mais ça, on ne le conçoit que des années plus tard...

Elseva a marqué par son absence le dîner, qui n'a été qu'une suite de paroles vides, de regards fuyants.

On avait tant parlé température que j'ai emmené Gisèle dedans, dans le parc un peu sauvage qui ceinturait le Mont-Royal. Là, sous des branches minces comme des fouets, branchies de ville, je me suis laissé penser à Skiller. Je ne l'avais pas vu depuis dix ans, mais je me souvenais de ses épaules carrées, de sa nuque raide comme le crochet d'un cintre, de sa façon d'être en vie comme en intensité. Sa tension interne était son orgueil, son autocarburant. Et quel orgueil!

Le ciel s'est mis à crachoter pour me rappeler à l'ordre. Mille lumières gisaient à nos pieds. Qui m'ont arraché à la torpeur. Chaque fois que je regarde, ainsi dévoilé, le profil d'une ville, une bouffée de tendresse me monte au visage. Je voyais mon immeuble, tel qu'il serait dans quelques mois, rutilant. Tout de même! Ici, mon imaginaire était libre, sauvage: les plans se dessinaient tout seuls. Il fallait rester... J'avais mon talent comme une drogue, je ne pouvais faire autrement. Je n'ai même pas reposé la question à Gisèle qui s'ancrait elle aussi. Si on n'avait pas été aussi stimulés, aussi intrigués, tous les deux, on aurait détalé avec les chats, qui quittent une maison au moindre indice de mort...

De retour au sec, je me suis enfermé, narcissique, avec mes plans, pour les réviser avant qu'on achève de creuser au chantier. Mais tout était prêt de ce côté de l'avenir, et ma main s'est mise à courir sur du blanc vierge. Comme un chant grégorien, ou le *canto hondo* gitan, des lignes s'unissaient sur papier dans une foison limpide dont je n'avais jamais été capable encore. A côté de cela, le LSD n'est que petite bière.

J'étais ivre de voir ces traits de carbone qui poussaient selon leurs propres règles devant mes yeux, comme si ces futurs immeubles pouvaient avoir cinq dimensions! Ça crevait le blanc du papier avec la force de projectiles, lignes noires, denses et grasses crachées telles quelles, sans compromission. Mais c'est pareil à une crise d'épilepsie: c'est bref, ça vide, et on se retrouve pantois, dans un épuisement pâle comme un silence.

Je suis alors allé débusquer Gisèle dans l'alcôve, dans des pages encore fiévreuses qui refroidissaient autour d'elle en crissant.

— Elseva m'inquiète, a-t-elle dit après un temps, levant des phalangettes tachées d'encre.

— Tu la sous-estimes.

— Non, je pense plutôt que toi, tu l'idéalises...

— Allons voir.

Le trio sévissait en serre, sous les plantes. Gabriel se penchait sur Elseva comme au confessionnal, tandis que Kathryn martyrisait un magazine, un peu à part. Elseva portait un pli à la commissure, tout le reste d'elle lisse, allongé sous le Carioca plié presque en deux. D'instinct, on s'assit à l'écart, Gisèle et moi, pour laisser Gabriel se dire. Moi, je savais qu'Elseva avait un rapport intime et particulier avec ses hôtes. Et grand bien nous en fasse tous.

Elle a fini par lui poser un doigt sur les lèvres. Il s'est redressé après baisemain, et s'en est allé avec un sourire en fossettes. Il montait composer. Kathryn n'avait même pas levé la tête.

Je pensais qu'Elseva s'était endormie, mais j'ai vu aussitôt ses poings fermés, la peau tendue sur ses tempes. Elle réfléchissait. Quand Kathryn a été partie, elle a ouvert des yeux fatigués sur nous, qui nous sommaient d'approcher. Comme un parfum, elle s'est mise à dégager tellement de sensualité qu'on s'est amollis, tous les deux. Elle s'est rassise droite dans sa barque d'osier, nos six genoux ont fait étoile. Un cercle s'est refermé: c'était plus qu'étrange, complice. On venait d'entrer tout droit dans ses yeux, dans des iris en kaléidoscope à bordure mauve nuit, et on s'y était dissous. Les dimensions tremblaient autour comme si la croûte terrestre était siphonnée, elle aussi. On s'est dégagés d'un coup sec, avec un creux au sternum. Gisèle s'est levée, raide, pour aller verser un peu d'hydromel à Elseva, qui semblait vidée. «Allez vite vous aimer», a-t-elle soufflé, les yeux fermés.

J'ai résisté. Aussi longtemps que j'ai pu. Si ce n'était que la pénombre... Mais le tour de bouche de Gisèle, duveteux dans le faible contre-jour... qui me relançait, narquois. Je l'ai déshabillée presque sauvagement. Elle aima. On a fait à nos sens une fête. On est devenus comme des dieux: aucun mystère de la création ou du grand plaisir, ici, ne nous résisterait. Quel flux dans nos viscères, dans nos corps!

Plus tard, beaucoup plus tard dans la nuit, Gisèle a ouvert les yeux, la première, sur une main blanche posée sur le montant du lit. Peu après, je me réveillais aussi. Elseva, une fois encore, était venue s'abreuver ici. Je me suis levé d'un seul bloc, à peine conscient d'être nu, pour la débusquer, lui dérober ses détails :

les cheveux défaits, la robe qui tenait d'un voile plus que du vêtement, la moue légère, le front apaisé sur les yeux embrouillés. L'Elseva des mers calmes, distraite, si absorbée par quelque reste de remous en elle — ou très loin d'elle — qu'elle était à peine dans notre chambre.

Je l'ai abordée, la main en sémaphore, et je l'ai fait s'asseoir sur le lit. Elle avait froid, et s'est laissée glisser dans les couvertures; le lit est devenu un fleuve portant nos trois corps immobiles au large de la conscience. Puis, le fleuve s'est retiré, elle s'est levée, silencieuse, a disparu.

Après, Gisèle est sortie du lit comme une fleur, est partie en somnambule vers la bibliothèque pour aller écrire. Quant à moi, je n'étais pas autrement surpris. Je savais Elseva capable de magie, capable, par une espèce de suggestion muette, de transformer l'atmosphère autour d'elle. Je devinais qu'elle cherchait à nous offrir quelque chose qui n'arrivait pas à prendre tout à fait forme. Cette forme, elle nous laissait peut-être le soin de la trouver. Ou peut-être Elseva devenait-elle plus humaine, plus fragile...

Quelques minutes plus tard, j'entendais un rire sarcastique, jouissif, résonner dans la bibliothèque...

La musique de Gabriel a chanté la vraie fin de la nuit.

Gisèle, avec sa crème de jour fraîchement badigeonnée sur la peau, avait son visage de l'aube, bouffi par manque de sommeil, mais déjà tendre et souple comme un fruit sous la rosée. Comme tous les matins, je ne pouvais avaler quoi que ce soit sans l'avoir d'abord touché.

Dans la salle à manger, Kathryn touillait un yogourt d'un poignet frétillant. Le soleil jouait à s'amuser sur les taches de rousseur qui constellaient ses membres.

— Vous avez vu Elseva?

— Non, pas ce matin.

— J'ai une supernouvelle à lui apprendre! Dommage...

Comme ses yeux, son nez pétillait. Etait-elle jamais fatiguée, elle? Il est vrai qu'elle dormait énormément. Que sa chambre semblait un cocon...

— Quelle nouvelle?

— Ils m'engagent. Je vais l'avoir, le rôle. On a tellement travaillé!

— Qui ça, on?

— Mais Elseva et moi!

— Elle danse, Elseva?

— Elle fait mieux que ça...

J'étais bien entendu en retard pour le chantier. Gisèle m'a déposé en voiture pour accélérer les choses, puis a laissé là l'engin loué. Comme moi, elle aimait se perdre en forêt urbaine, et s'y prenait en marchant. Elle aussi revenait d'un long séjour aux Etats-Unis et en Europe: elle ne connaissait plus Montréal. Et Montréal est sous sa plus belle lumière en octobre... L'édifice tout bleu de la Banque de Paris, ses sculptures blanches comme des phoques en plage nordique... Une facette de la ville, une facette seulement. Montréal est multiple, contrastée, et jamais assez grande pour apeurer. Je voyais Gisèle en pensée, dans le labyrinthe de ces structures d'hommes...

Sur mon chantier à moi, près du fleuve, on avait commencé à creuser. J'ai dû défendre certains détails des plans auprès des entrepreneurs qui trouvaient à redire. C'est leur travail. Je suis donc demeuré démocratiquement à discuter, mais aussi à surveiller jusqu'à la fin de l'après-midi.

Gisèle m'avait précédé. Moi, j'entrais dans notre home trop racé avec de la boue aux semelles, les doigts engourdis par le souffle gigantesque du Saint-Laurent. Gisèle m'a appris que Piotr, le sculpteur, s'était pointé. Il voulait parler à Elseva, que personne n'avait aperçue depuis le matin. A table, Gabriel était taciturne, Kathryn impatiente: Elseva nous manquait. Après un dîner rempli de bruits de fourchettes, coudes hors de la table, on s'est éclipsés, chacun de son côté, pour ruminer.

On a vaillamment essayé de travailler à la bibliothèque, Gisèle et moi. Mais on était incapables de se concentrer, alors on s'est mis à lire, ce qui permettait à Gisèle de tendre l'oreille, le cou girouettant au moindre bruit. On s'est couchés comme de vieux mariés, dos à dos. D'habitude, on dormait jouxtés comme deux cuillers. Elle s'est réveillée en pleine nuit, s'est assise à ce qui nous tenait lieu de bureau, s'accrochant des deux mains à son œuvre naissante.

— Qu'est-ce qu'il y a?

— Je crois que je suis obsédée par cette femme. Tout à coup, j'entrevois ce que ce serait d'être un homme. Peut-être même d'être amoureux...

— Elseva?

— Qui d'autre?

— Recommence un peu, tu veux?

— Réveille-toi, Paul, et ne ris pas. Ce n'est pas mon genre, les femmes, d'habitude. Elle me fascine, elle m'habite. Je ne suis pas la seule...

— Dors, Gisèle, ne te tourmente pas. Crois-moi. Aduler ou haïr Elseva, c'est inévitable, ici. C'est dans l'air, comme une religion. Comme une soif...

— Mais tu te rends compte dans quel état de dépendance elle nous met?

— Ecoute, Gisèle, cette femme et cette maison, ce sont... la magie, la suggestion à l'état pur. J'avais essayé de te prévenir...

— Oui, mais de là à croire... Oh et puis toi, tu es un homme, et...

— Et Elseva n'est pas tout à fait une femme...

— Non? qu'est-ce qu'elle est alors?

— Ça, ma chérie, je ne le sais pas. Je ne l'ai jamais su. Mais je tiens à le savoir avant de quitter cette maison...

Je suis parti pour le chantier très tôt le matin, mais la journée s'annonçait plutôt infructueuse. La certitude, l'assurance qu'il faut pour s'imposer parmi les ouvriers me venaient mal. Je faisais petit boss, un rôle de composition, qu'on ne peut pas prendre longtemps au sérieux avec ma tronche de gentil garçon. C'est que merde, les idées ne venaient pas. Il me passait un grand vide entre les côtes. Elseva n'était plus là, et nous, on était comme taris. Je suis rentré à talons lourds dans la maison. Gisèle était endormie. C'était plus fort que moi, je me suis allongé à côté d'elle. Dans son sommeil, toute confusion l'avait quittée: elle était éparpillée sur le lit comme une lionne dans l'herbe. J'ai dormi, moi aussi. C'était ce qu'il y avait de mieux à faire. Il vient un temps où réfléchir ne mène plus à rien.

Plus tard, on a eu un instant de vie, fausse alerte. Gabriel faisait les cent pas dans le hall, tournant rond comme mes pensées en tête, et Kathryn discutait avec une femme d'un certain âge dans la grande salle. C'était une cinéaste, Jeanne Witz, dont les films étaient bien connus. Elle avait cinquante ans et roulait fermement ses r. Elle m'a demandé au bout d'un moment: «Est-il arrivé quelque chose, au cours des derniers jours, pour qu'Elseva... disparaisse?» J'ai joué confessionnal à mon tour, pour lui dire en aparté la mort de Bern Skiller, que les journaux avaient annoncée le matin même. Elle ne devait pas se tenir bien branchée, Jeanne. En tout cas, elle a assez mal accusé le coup, tournant sur elle-même pour aller faire la statue près de l'escalier, l'épaule pesante, le pied long. Puis, à brûle-pourpoint, elle m'a demandé si nous avions vu Karl, ces derniers jours. De dense, ça passait à poisseux, dans mon esprit...

— Personne ne l'a vu? a-t-elle dit, l'air d'un sphinx pris au filet. Pourtant, d'habitude...

— Mais QUI est ce Karl? ai-je dit, les bras en gerbe.

— Je ne le connais pas plus que vous... Il est là, c'est tout, j'ai l'impression qu'il veille. Si vous ne la voyez pas au cours des prochains jours, appelez-moi. Excusez-moi de ne pas rester mais...

Puis, se ravisant tout à coup, elle m'a entraîné dans la serre, où nous serions seuls. Elle a envisagé attentivement les plantes, m'offrant son dos assez compact sous la laine, portant brusquement une main à hauteur de paupière. Elle s'est retournée d'un bloc, rouge, les yeux enflés. Je lui ai donné un moment pour se remettre, en étudiant la composition du plancher.

— Qu'est-ce qui est arrivé, au juste, avec Bern? a fait sa gorge.

Je lui ai expliqué ce que je savais. Elle est restée un moment interdite. Interdite d'accès, aussi. Pour ne laisser passer que:

— Karl vieillit...

Puis, comme Gisèle arrivait, Jeanne a dit, moins cryptique: «Sur cette bobine, il y a mon adresse, mon numéro de téléphone. Quand vous verrez Elseva, donnez-lui ce film. Dès que vous la verrez, j'insiste...»

On s'est retrouvés à table après des heures de silence, énervés comme des orphelins. Gabriel festonnait des mains: elles allaient et venaient en arc au-dessus de la nappe. Kathryn carburait à plein régime, parlait de n'importe quoi, s'arrêtait soudain pour écouter, puis nous livrait des potins sur tel et telle artiste, et qui aimait quoi, ou qui, etc.

Sans annonciation, Elseva est apparue sur le pas de la porte. Elle regardait Gabriel, qui s'est déplié, a rangé ses mains dans ses poches et est parti à sa remorque. Comme on allait les retrouver, je l'ai croisé dans le couloir où il m'a pris un pan de manche entre les doigts.

— Ça ne va pas du tout. Je ne l'ai jamais vue... comme cela. *Há uma coisa que*... et elle veut rien me dire. Il faut absolument que j'aille au concert: restez... près d'elle, je veux dire.

Notre ultime Elseva s'était enveloppée de bleu nuit, maquillée de tons chauds et nous donnait des yeux d'une profondeur wagnérienne. Qu'elle baissait plus que de coutume. Qu'elle baissait! Elle écoutait gravement Kathryn qui lui expliquait quelque chose avec animation. J'observais les trois femmes, je voyais Gisèle se rapprocher d'Elseva, se tendant de plus en plus à chaque centimètre de terrain gagné, et je retenais mon souffle, la langue en joue. Kathryn a désamorcé tout cela. Elle a fait entendre un rire en grelot, s'est élancée dans un entrechat en plein couloir, a réussi à les faire sourire. Le regard elsévien a erré un moment à quelques poils de mon front, j'y ai entrevu une douleur qui essayait de se taire. Kathryn est venue s'asseoir à ses pieds et Elseva a arrondi les bras, émue, brillant de partout.

C'est alors que, me prenant vraiment pour un agent de bord, le bras autour de la taille de Gisèle, j'ai dit:

«Et si on se faisait une petite soirée, mesdames?». Il fallait bien être déboussolé par toute cette féminité chargée à bloc...

Trois visages se sont tournés vers moi comme des peaux tendues de tam-tam. Et un poing serré a perlé dans du bleu nuit.

— Bern, ai-je laissé échapper, mon masque tombant à mes pieds.

Elseva a détourné vivement la tête comme si on l'avait giflée.

Gisèle m'a ausculté de loin; Kathryn m'a fait un clin d'œil de pardon. Bénie soit Kathryn.

Le silence est retombé sur nous comme un rideau, chacun fixant quelque chose, pas la même chose, regards éparpillés tous azimuts. Puis... notre hôtesse a voulu voir mes plans. Une urgence. J'en avais des doubles, en haut.

Elle les déroulerait comme une peau. Après me les avoir arrachés sans pardon, comme on désarme un prisonnier. Pour les regarder et dire:

— Oui. Tu as bien fait de revenir.

J'avais roulé les manches. Comme pour me retenir, sa main pesait sur mon avant-bras. Elle était brûlante. C'était presque la main d'une vieille qui s'appuie.

— Là, tu m'inquiètes, lui ai-je dit à voix basse.

Elseva s'est raidie de surprise: «C'est inutile».

— C'est qu'on aimerait pouvoir vous aider..., a balbutié Gisèle.

Elseva en a chancelé:

— M'aider à quoi? Si vous voulez m'aider, ne vous prenez pas pour des nourrices... Travaillez, plutôt!

— Mais qu'est-ce que ça...

— Suffit! s'est écriée Elseva. Depuis deux jours, vous tournez en rond! Et vous croyez que je ne le sais pas? Secouez-vous et créez, bon sang! Faites ce que vous savez faire de mieux! Sinon...

— Sinon quoi? a dit Kathryn, le menton en galoche.

Elseva s'était tue en un éclair. Karl était là, au pied de l'escalier. Elle s'est rassise, a fermé le poing. Il la regardait, la regardait, la regardait encore. Et le plafonnier lui traçait des fossés sous les sourcils, le nez, la mince lèvre inférieure. Il ne bougeait pas, sa tête devant nous comme un ultimatum. Comme un prophète. On s'était écartés; elle, elle avait plié l'échine, la tête baissée devant nous, une énigme aux cheveux tirés contre des oreilles fines et à peine veinées, immobile. Pénitente? Une tête aussi insolente, aussi parfaite, vaincue?

Enfin, Karl s'est tourné pour remonter lentement l'escalier. Elseva ne bougeait toujours pas.

Gisèle, qui était sortie après lui, est revenue avec les bobines laissées par Jeanne Witz. Qu'elle a déposées comme des langes dans le giron d'Elseva. Sous nos épaules s'est levé un visage lisse, et impitoyablement nu.

— Chère Jeanne...

C'était un soupir, comme ses bras tendaient les bobines à Gisèle, comme Gisèle sans accroc l'aidait à se lever. Je lui ai avancé mon bras. On s'est laissés mener, à trois, dans le propre bruit de nos pas. Dans le studio de musique, elle m'a indiqué un écran, un projecteur. Gisèle, pour une seconde fois, lui glissait entre les doigts un verre de cette liqueur dorée qu'elle affectionnait publiquement. Puis les chiffres ont défilé à l'envers sur l'écran.

Je ne raconterai rien de ce film, qui a eu ensuite du succès. Sinon pour dire que la plupart des gens y ont vu de l'inversion sexuelle, alors que ce n'était que tendresse entre deux femmes un instant égarées, dans un vide créé par deux pauvres bougres maladroits. Et que ces femmes n'avaient pas le choix que de se séduire en leur for intérieur. Moi, je ne peux approcher une femme si elle ne s'est pas d'abord sentie désirable, un peu narcissique, dans sa propre peau. Mises devant elles-mêmes, les femmes qui sont femmes se mettent à se réhabiter. Et tout doucement, comme après chrysalide, elles s'offrent au jour, sorties à moitié d'elles-mêmes, belles qui qu'elles soient. C'était ce que disait ce film, qu'on comprit tout de suite dans la maison d'Elseva. Où n'entraient que de vraies femmes.

— Oui, a murmuré Elseva. Il était temps qu'elle se remette à produire. Après ces années d'arrêt...

— Si j'ai bien compris, vous avez contribué à ce film? dit Gisèle, le regard encore aplati sur l'écran vide.

— C'est ici qu'elle a écrit le scénario.

— J'aurais dû m'en douter, ai-je dit.

— Quand est-ce qu'il sort, ce film? Vous le savez? demandait Kathryn, une jambe en tente par-dessus l'autre, avec des petits jours infimes dans son collant noir. Elle se promenait toujours pieds nus, avec des durillons si épais que c'étaient presque des sabots... Là, elle avait un pied entre ses mains, comme moi je tiendrais un crayon, une gomme.

— Posez la question à Jeanne. Elle sera ici demain matin.

Moi, je m'étais fait depuis longtemps à ce don elsévien de prévoir les actions des autres. Je ne revenais plus là-dessus; c'était acquis comme une assurance-accident signée depuis lontemps.

— Comment savez-vous qu'elle viendra demain? a aussitôt demandé Gisèle. Elle n'en a pas parlé, n'a même pas téléphoné!

— Je le sais, lui a déclaré Elseva, les yeux en glaciers clairs. Vous verrez, a-t-elle repris plus doucement en lui effleurant les tempes des phalanges.

On arrivait au deuxième étage quand Elseva m'a demandé s'il y avait encore de la lumière au rez-de-chaussée: «La bonne a éteint en partant, et Gabriel n'est pas encore rentré...»

Etrange, cette soudaine question. Elle qui savait toujours tout ce qui se passait dans la maison, comme s'il y avait des puces, des caméras aux murs. J'aurais dû flairer le prétexte, mais non. Elle avait été si... désarçonnante, quand elle avait perdu ses moyens, tout à l'heure.

Je suis donc descendu, puis je suis sorti, le nez dans un bol d'air humide. Le temps d'ouvrir grand les yeux sur le nimbe orange et insolite qui auréolait la ville, le temps d'allumer une cigarette et de sentir un petit vent d'hiver monter subrepticement le long des rues, le temps de penser, avec distance «quelle étrange maison», ce temps aurait dû suffire aux deux femmes pour monter chez elles. Mais quand j'ai gagné notre chambre, cherchant son parfum, Gisèle n'y était pas.

Le petit matin se pointait quand j'ai vu Gisèle debout devant la fenêtre, plantée nue dans la lumière encore frileuse, qui remuait les lèvres en regardant vaguement la ville sous les arbres. A sa place encore chaude à côté de moi, le tergal faisait des drapés navrés. Elle s'est subitement retournée vers le lit et moi dedans.

— Je ne sais pas comment elle a fait!

Vus plus précisément, ses sourcils traçaient des arabesques. Et c'est sous ce signe qu'elle m'a conté ce qui s'était passé la veille, dans la chambre de Kathryn.

Je l'ai crue, je la crois toujours. Dans cette maison...

Pendant qu'on m'a envoyé paître dehors, elles sont toutes trois au deuxième. Elles s'arrêtent à la chambre de Kathryn, dont les répétitions commencent le lendemain matin. Kathryn s'assoit, se relève, se rassoit, fébrile: elle étouffe dans un rôle trop grand, un ballet d'angoisse.

Il y a un télégramme sur la table de chevet. Elseva le voit, s'assoit sur le lit de Kathryn. La petite se jette près d'elle, le souffle court. Lentement, à pouls ralenti, Elseva s'approche de Kathryn, la cueille, enveloppe entièrement son corps menu du sien. Pendant longtemps, aucune des deux ne bouge sous les yeux de Gisèle. Elles sont devenues un seul être, un unique ensemble de thorax, de bras, de mains vibrant de la respiration lente et profonde d'Elseva. Un solo bleu nuit. Gisèle se sent somnolente, regarde sans broncher. Ce qui se passe sur ce lit prend toute la place du monde.

Longtemps après, Elseva relâche doucement Kathryn, qui retombe amollie, dans le sommeil comateux des animaux qui hibernent. Sur ses traits enfantins encore un peu tendus, Elseva pose ses mains qui, sitôt relâchées, laissent voir une peau de matin. Ensevelie de paix! Et elle repose, comme resculptée.

Gisèle voudrait toucher, s'assurer qu'elle ne rêve pas. Mais en est incapable. Ce n'est plus Kathryn, mais l'âme d'Elseva englobant Kathryn, que Gisèle finit par couvrir jusqu'aux épaules, contre le froid de toute cette nuit.

Elseva lui dit: «Qu'elle ait chaud, bien chaud...», et lui tend une main qui tremble. Gisèle l'aide à se lever, et doit la soutenir jusqu'au troisième.

— Elseva, expliquez-moi.

— Tu comprends, tu comprends déjà. Je n'aurais pas dû, je le regretterai peut-être bientôt. Mais demain, elle... Déjà, tu ne t'inquiéteras plus pour moi. Tu ne te fieras plus aux apparences.

Elles se sont arrêtées sur le palier du troisième.

— Personne n'entre ici, souffle Elseva. Merci. Rassure-toi, va dormir.

— Pourquoi a-t-elle voulu que je sois témoin de cette... de cette...séance? a dit Gisèle, ce petit matin-là. Cette femme est... machiavélique, Paul!

— Il faut attendre... A nous deux, on finira par comprendre.

On a mis Elseva à l'épreuve, la semaine suivante. On lui en voulait. Peut-être parce qu'elle était radieuse et diserte depuis qu'avaient commencé les répétitions de Kathryn. Quoiqu'il en soit, sans même se concerter tous les deux, on a entrepris de jauger ses forces. Gisèle avait travaillé avec passion à sa pièce de théâtre depuis l'incident chez Kathryn. Quant à moi, je venais de terminer un double de ma maquette. Pour rire, j'avais ajouté çà et là quelques discrètes erreurs ou des points détonnants: je voulais voir si Elseva s'y connaissait vraiment en matière d'architecture, si elle avait seulement feuilleté tous ses ouvrages nouveaux en la matière, si un autre architecte m'avait supplanté, moi, qui me voulais unique...

Je l'ai fait monter dans notre chambre, où elle a à peine eu le temps de voir la bombe qu'un cri joyeux nous a résonné dans les oreilles. On appelait Elseva depuis l'escalier. Elle est partie avec un sourire parfaitement équivoque.

C'est que Jeanne était arrivée, et ces dames à présent causaient.

— J'ai donc réussi à t'émouvoir? disait Jeanne.

— Ne dis pas de bêtises, répondait Elseva.

Je devinais que le film n'était pas le seul sujet de leur entretien. La mémoire de Skiller était passée par là. Elle se tenaient comme des complices.

— Est-ce que je vous laisse des billets pour la première?

— Je ne les aime pas, et tu le sais. Mais ta chambre est toujours là, si tu as besoin de venir.

— Ce qu'on fait tous, à un moment ou à un autre, non?

— Presque...

Sur ces entrefaites, Gisèle était subitement montée à la bibliothèque, me disant furtivement qu'elle avait «quelque chose à ajouter».

Moi, j'ai appris ce que je raconte ici beaucoup plus tard. Quasiment trop tard...

Quand la maison est redevenue tranquille, vidée de Jeanne et de moi, Gisèle est redescendue avec son manuscrit. Elle savait viscéralement où se trouvait Elseva: dans l'atelier.

Deux silhouettes en contre-jour devant le mur vitré. L'une, toute fine, l'autre, masculine et robuste, qui faisaient l'effet d'ombres chinoises.

Gisèle restait plantée là.

— Mais viens! a dit Elseva sans se retourner.

Je vois d'ici le soleil passer entre ses doigts ouverts comme un rayon fou issu d'elle. Balayant tout, sans pitié.

Gisèle a serré l'énorme main du sculpteur, un homme au visage en monts et vaux escarpés, avec des sourcils comme une chaîne de montagnes.

Ils ont posé Gisèle contre les fenêtres, pour lui découper la silhouette. Piotr reculait et l'examinait, les bras à distance du corps. Rien ne laissait deviner ce qui, ce jour-là ou plus tard, allait suivre... Si je peux écrire cette scène, la visualiser, c'est que Gisèle l'a écrite ensuite, et m'a longtemps après laissé voir...

Elseva a entraîné Gisèle dans le petit couloir. «Piotr cherche un modèle pour sa troisième sculpture. Il lui faut une femme saine et féminine, nordique et sensuelle à la fois. J'ai pensé à toi l'autre jour. Accepte.»

— Pour lui, n'importe quand!

Et pour une deuxième fois dans cette maison, Gisèle s'est dénudée sans arrière-pensée. Ses vêtements s'entassaient sur les bras d'Elseva.

Elle s'est rendu compte, tout à coup, qu'elle oubliait le manuscrit. «Elseva, je l'ai écrit ici. Lisez-le. J'étais venue pour ça.»

Piotr tournait autour d'elle, impatient. Il l'a placée sur une plate-forme au fond de la pièce, et l'a tracée furieusement sur papier. Sous l'œil approbateur d'Elseva, il s'est mis à noircir des feuilles comme si les brusques mouvements de son bras cherchaient à faire éclater les deux dimensions du papier. Gisèle avait la délicieuse impression que son crayon s'allongeait jusque sur son corps. Qu'avait donc cette maison pour que nous sentions si intensément les choses?

Elseva s'était assise sur un tabouret et lisait le manuscrit de Gisèle. Du coin de l'œil, Gisèle voyait qu'elle tournait les pages en accélérant, qu'elle levait de moins en moins les yeux.

Au bout d'une heure, Piotr a libéré une Gisèle ankylosée. Vingt minutes, d'habitude, c'est tout ce qu'on demande à un modèle. Mais pas lui.

«Magnifique» s'est-il exclamé, avec son accent d'outre-Caucase.

— C'est tout?

— Non, une pause, puis on recommence.

— Marche, lui a dit Elseva, en l'enveloppant d'une ample couverture. Qui sentait le parfum d'Elseva, avec des relents de térébenthine.

Gisèle s'est figée sur sa plate-forme une heure encore, et il l'a relâchée. «Elseva vous dira quand», a-t-il déclaré, avant de s'isoler dans le fond de l'atelier.

Gisèle, rhabillée, est allée se réchauffer au soleil de la serre.

— Et ma pièce, vous avez ri?

— Non, a dit Elseva d'une voix glaciale.

La pièce dénaturait Elseva et sa maison, à coups de scènes hyper-réalistes. Et c'était devenu burlesque. Placez soigneusement des êtres confus et égarés, tous des excentriques en mal de devenir, et faites-les crécher chez une richissime enfant gâtée: vous avez une comédie satirique. Ils se prennent les pieds dans leur karma. Je l'ai lue, moi, cette pièce, après coup. Gisèle avait, ni plus ni moins, échoué dans sa caricature.

Elseva est allée lui tourner le dos contre la fenêtre, les épaules hérissées.

— J'aime la provocation, quand elle est faite avec talent, avec conviction! Je te souhaite que cette pièce soit un jour PRODUITE!

Elle s'est arrêtée pour devenir énorme.

— Je ne te chasserai pas, aussi longtemps que Piotr aura besoin de toi. Mais tu mériterais qu'on t'envoie vivre dans une maison comme celle que tu décris là. Tu m'as réduite... au quelconque! A l'ordinaire! Que de haine! Demande-toi qui tu peux bien être, pour voir les choses en format si réduit. Tais-toi et regarde avant de parler de ce qui te dépasse. Je garde ce manuscrit pour avoir le temps de mieux le haïr en retour. Es-tu à ce point médiocre, Gisèle?

Et Gisèle, entre les plantes:

— Lisez bien, lisez mieux, ce n'est pas de la haine! Personne ne m'a jamais appelée médiocre! Et je n'ai jamais autant de malice ou de lâcheté, jamais de la vie! Mais peut-être que je ne sais pas provoquer ou mystifier aussi bien que vous...

Elseva a marché sur elle, pour lui saisir le menton, lui relever la tête.

— Regarde-moi en face. Ou as-tu peur?

Elle n'a pas bougé quand une larme a éclaté sur sa main

— Oui, j'ai peur! s'est écriée Gisèle. Peur de devenir une chose à vous! Vous n'avez rien compris. L'attrait, la séduction que vous exercez ici, mais c'est effrayant! Je n'ai pas de respect pour ceux que vous manipulez! Dites-moi que vous êtes trop forte pour jouer des jeux pareils! Dites-le-moi! Je ne me reconnais même plus: il y a eu des moments, éveillée ou pas, où j'ai désiré votre contact plus que toute chose au monde! Je ne veux pas de ça! Vous n'avez pas assez de pantins?

— Des pantins? s'est exclamée Elseva en la libérant sec. Demande à Gabriel s'il se croit un «pantin», demande à Kathryn, à Piotr ou à Jeanne. Ils sont plus entiers ici, plus libres d'être eux-mêmes, que jamais! Ici, ils peuvent affronter leurs fantasmes, leurs chimères, leurs rêves, et créer ce qu'ils veulent créer. Les gens qui viennent ici sont exceptionnels, et tu le sais! Quant à ce désir, je n'y peux rien. J'ai du désir pour tout ce que j'admire, moi! Vos désirs vous servent! Tu ne le sais pas? Ils vous mettent en état de créer, ils vous donnent encore plus de sensibilité, d'urgence, ils vous libèrent! Et tant mieux s'il y a du désir, je veux qu'il y en ait à profusion, dans cette maison! Sans désir, sans cette attente de l'instant qui vient, on est tous morts, Gisèle!

De ses mains, elle serrait le manuscrit, Elseva.

— Et tu as peur? Peur de quoi au juste? Peur de cette maison? Ou peur d'y vivre vraiment ce que tu es?

Comme toutes les fois que je rentrais, cet après-midi-là, je me suis mis sur la trace de Gisèle. Mais il n'y avait pas de Gisèle en ces lieux. Croyant qu'elle était sortie faire une course ou une promenade, je suis resté sagement dans notre chambre.

Je regardais distraitement la maquette quand un détail m'a frappé. Du revers de la main. La plupart de mes prétendues erreurs avaient été corrigées et les morceaux superflus (comme la fausse corniche, un peu hideuse, il faut le dire) avaient été déposés à côté de la maquette, cryptiques.

J'ai pris une douche en chantant. Ainsi donc, elle connaissait vraiment l'architecture à présent. Tout ce temps qu'elle avait, elle l'occupait. Et j'ai dû m'endormir sur le lit, à la bonne chaleur, après des heures froides près du fleuve. L'hiver attendait sur l'eau, cet automne-là.

Je suis descendu au moment où ils finissaient de manger.

— Où est Gisèle? ai-je aussitôt demandé à Elseva.

— Je l'ignore.

— Toi qui sais tout!

Je l'ai gardée à l'œil, au fil de la conversation, en mangeant du coin de la bouche. Ils parlaient d'informatique, entre autres. Et ça devenait une mêlée générale. Elle s'est esquivée avec Gabriel, Elseva. Et moi je suis sorti prendre de l'air, à grandes respirations. L'inquiétude me montait dessus comme un frisson.

J'ai fait le tour de tous les endroits qu'on avait fréquentés en ville, en finissant par rentrer pour débusquer la maison au complet. J'étais transi. J'ai fait de la lumière partout, et je me suis posté sur le palier.

«Elseva», que j'ai crié de toutes mes forces.

Elle s'est matérialisée presque tout de suite, hautaine et majestueuse du haut de son escalier, plus que jamais prêtresse...

— De quel droit cries-tu comme ça?

— Dis-moi où est Gisèle. Parce que je pense que tu le sais!

— Non, je te l'ai dit, je ne sais pas.

— Qu'est-ce que tu lui as fait?

— C'est à elle qu'il faut poser la question! a-t-elle proféré, les yeux brûlant jusque ma peau.

— Arrête! Elle est partie? Tu l'as fait fuir aussi, c'est ça?

— Non.

— Alors crache! Dis!

— Elle va revenir, a-t-elle dit encore, comme un oracle. Elle reviendra pour toi, Paul...

J'ai tourné dans notre chambre, je suis sorti encore marcher, chercher, cette nuit-là. J'ai essayé de dormir, de m'éteindre. Jusqu'à m'en tortiller dans le tissu des draps, me rendre prisonnier du lit. De *notre* lit! Un répit à l'aube, mais mauvais, fourbe. J'avais froid aux os. Je suis descendu en catastrophe pour me taper deux cafés serrés. Où avait-elle passé la nuit?

Tout ce que j'avais pour moi, c'était un manque aigu. Je ne la connaissais pas depuis si longtemps, mais dans cette maison où le temps était très dense, on avait vécu des années ensemble. Je marchais vers la porte pour me lancer dans un petit jour trouble quand j'ai vu sa forme se profiler dans le verre dépoli. C'était bien elle, dans un grand imper anthracite, mais déjà différente. Tirée, tragique... Je l'ai saisie par la nuque, comme une noyée.

— Ne me pose pas de questions! a fini par dire sa figure, qui m'a estomaqué. Cireuse, qu'elle était. Evacuée. A coups de larmes, à présent taries. Je l'ai prise contre moi pour monter. Si mon dos avait pu faire parapluie, il aurait été parfait. Il essayait, en tout cas, ployé par-dessus elle...

Je l'ai regardée se déshabiller, se coucher, et j'ai veillé, tranquille comme un chien du fait qu'elle soit là. Mais sa fatigue était sans fin.

«Je ne sais plus. Je ne sais plus rien....» Voilà tout ce qu'elle m'avait dit.

J'ai attendu qu'elle me semble paisible, et pour ne pas appuyer sur son sommeil, même des yeux, j'ai décidé de travailler, mais à côté, à la bibliothèque. On me demandait quelques modifications aux plans de détail. Elle a dormi jusqu'au soir.

Je lui ai apporté un dîner sur un plateau luisant. Elle n'y a pas touché. J'ai essayé des questions subtiles, elle gardait le silence, même de ses yeux bouffis sur un grand vide glacé où je ne voyais plus ma réflexion.

Quand elle était calme, elle semblait inhabitée. Quand elle était fébrile, elle semblait se fuir elle-même. Deux jours ont passé, moi au pied du lit, ou jamais très loin. Que les entrepreneurs aillent au diable; j'essayais de tout régler par téléphone, par messagers. Elle, elle ne voulait voir personne, elle refusait de se lever. Quand je lui ai parlé d'Elseva, elle s'est pliée en deux, comme si on lui avait entré une lame dans le ventre.

Je n'étais plus que vaguement au courant de ce qui se passait dans la maison. A la fin du troisième jour à ce régime, je n'en pouvais plus. Ils l'avaient regardée, depuis la porte, sans jamais entrer. Elle les faisait fuir, de toute façon. Ce soir-là, en sortant sur le palier, j'ai trouvé Elseva qui m'attendait, plus statue que jamais.

— J'y comprends rien. J'arrive pas à la sortir de... de là. Si seulement elle voulait me parler!

— N'insiste pas.

— Tu refuses de m'aider?

— Eloigne-la de cette maison, pour un temps.

— Tu es sûre?

— Demande-le-lui.

On a quitté la maison très tôt le lendemain matin, sans le plus petit bruit de déchirement. Sans dire au revoir ni adieu à quiconque. Gisèle avait pris des couleurs. J'avais laissé une bonne part de mes affaires chez Elseva. Je comptais y revenir, tôt ou tard.

La voiture roulait bientôt dans un novembre morne, entre des champs gris et des forêts dénudées, une terre en stase. Le ciel était pourtant beau, encore plus présent et impitoyable, avec ses chapelets de nuages maussades, denses et frisés. Réunis comme pour moins geler. Parce que déjà, il faisait froid.

Je connaissais une petite auberge pas chère, à une centaine de kilomètres de la ville, où j'avais passé quelques jours, du temps de mes études. Lits de fer, mais grand foyer, elle était restée à peu près la même, dans ses rondins, près de son lac aux joncs, au fond haut, pris dans sa glace à présent. Il y avait très peu de clients à cette époque de l'année, et un feu crépitait pour lui seul dans le hall, qui faisait bar, qui était brun, suisse et rustique. L'aubergiste nous offrait la seule grande chambre, presque une suite, ou plutôt deux chambres mal séparées dont l'une avait, luxe rare ici, un divan-lit. Même vieux et mou, il nous sauvait, ce divan-lit. De l'autre chambre, je pourrais faire les cent pas sans la quitter des yeux.

Le premier jour, j'étais tout espoir. Elle a accepté comme du pain frais les petites balades que je lui proposais. Mais bientôt, elle est retournée dans son silence des membres. Sur un couvre-lit de grosse laine.

A quelques reprises, je l'ai vue assise dans le lit avec un crayon, penchée sur un cahier qu'elle avait apporté avec elle. Je l'observais à son insu. Elle n'a pas tracé un mot. Ces deux fois, au moins, elle s'est repliée sur elle-même comme une feuille usée, le crayon aussitôt lâché comme s'il brûlait, pour en finir avec une main rejetée loin, vide et tremblante. Puis, son regard allait se perdre, fixe, à des kilomètres de distance, avec des sanglots étouffés aussitôt nés. Je n'osais même pas intervenir. Parce que sitôt que j'étais là, à l'observer de trop près, elle s'arrêtait d'être, par pudeur, ou par affection, peut-être même par amour, déjà...

Comme un réveil, le téléphone sonnait parfois dans le hall, et l'aubergiste venait me chercher. On m'appelait du chantier. Pour m'engueuler: je retardais tout. Et puis je travaillais mal, je peinais.

Je l'ai laissée s'étioler pendant deux semaines! Elle, sans désir, sans reproche! Je ne savais plus à qui nous vouer.

Quand je l'ai secouée pour lui dire que je la ramenais chez Elseva, que je ne pouvais rien de plus si elle ne m'expliquait pas, elle m'a regardé de fond en comble. Je remplissais nos valises, vite faites, elle ne bronchait pas. Mais je me rappelle qu'elle a mangé avec appétit ce soir-là.

Sur la route noire et silencieuse, elle avait les yeux tournés dans son âme, mais une petite moue lui ourlait la bouche. Le programme de la radio d'Etat était particulièrement bon, et c'était presque assez pour nous dessiner un début d'apaisement. Ce soir-là, à ce moment-là seulement... Et je conduisais sagement.

Jusqu'au chantier, où je devais m'arrêter.

Quand je suis revenu à la voiture après avoir laissé comme convenu des plans dans la roulotte, Gisèle n'y était plus.

On avait creusé un immense trou sur le terrain voisin. Qui atteignait par endroits près de cinq mètres de profondeur.

J'avais les poils dressés sur la nuque. La portière bâillante, je me suis précipité comme un fou.

Je l'ai trouvée tout de suite. Elle s'était écrasée sur le revêtement dur et lisse. Dans son manteau rouge, avec ses cheveux pâles, elle faisait saillie sur le béton.

J'ai tâtonné comme une bête, ne sachant plus comment descendre, mais j'ai fini par y arriver, par glisser une planche sous elle, par la ramasser en hurlant. Je l'ai couchée sur la banquette arrière, embrouillée sous mon regard. Et j'ai filé comme un damné vers la maison d'Elseva.

Au bruit que j'ai fait sur les chapeaux de roues, ils sont sortis comme des lemmings, ont dévalé les escaliers, se sont bousculés, ahuris devant la voiture, scrutant la forme immobile sur la banquette arrière. J'aurais voulu sauter à la gorge d'Elseva. Qui les avait précédés... Qui ne bougeait même pas.

«Monstre», lui ai-je dit.

«Tais-toi», fut sa réponse.

Elle a condescendu à s'approcher, à pencher sur Gisèle un visage qui ne reflétait rien. Pour lui dire tout bas:

— Idiote.

— ASSEZ, Elseva! Je l'emmène à l'urgence. Je voulais que tu voies...

— Monte à la chambre, m'a-t-elle dit..., non, ordonné!

Elle me suivait dans l'escalier comme un vent glacial.

Les autres ont allongé Gisèle sur le lit, lui ont enlevé son manteau, ses chaussures, ses bijoux.

— Qu'est-ce que vous faites? J'avais envie d'écrabouiller Elseva contre ses murs.

— Laissez-moi avec Gisèle. Paul, n'entre pas avant que je te fasse signe.

— Quoi?

A partir de cet instant précis, je ne savais plus très bien qui j'étais. Chaque minute s'est étirée en éternité. Elle m'a poussé hors de la chambre. Le marbre du couloir était foncé, plein de veinures; je les foulais du pied, une à une, comme les vaisseaux d'un gigantesque animal endormi.

J'ai dû descendre l'escalier ensuite...

Parce qu'en bas, on m'a happé. Je ne me souviens plus clairement: ils étaient deux ou trois bras, que j'ai remontés du regard. Au bout étaient les figures de Gabriel et Kathryn. Ces bras m'ont pris en charge, jusqu'à ce que je me retrouve dans un des fauteuils vermeils, les pieds sur le damier de la grande salle. Ils m'ont tendu un verre, du bout de mains longues, elles aussi veinées. Le cognac a creusé son chemin dans mes entrailles, pour me rendre un peu de vie. Je l'ai laissé couler à profusion; j'ai vu s'allumer des lumières qui n'existaient pas.

On s'est rendus dans le studio; en tout cas, je me souviens du studio, où Gabriel jouait une mélodie si bizarre qu'elle s'est mise en voix, et qu'elle a chanté toute seule dans la pièce. Des volutes. Dans lesquelles Kathryn dansait. Et ça s'est mué en traits de plus en plus courts, à rythmes saccadés. Pour faire tournoyer Kathryn comme un derviche. Ça m'a arraché d'un seul bloc au temps. Puis je ne sais plus.

Mais je devine que ce sabbat en allait d'un secret entre Gabriel et Kathryn, qui cherchaient, soit à me soulager, soit à conjurer quelque chose. Comment expliquer une musique qui vous gonfle l'intérieur jusqu'à ce qu'il n'y ait plus qu'elle en vous, et qu'elle vous occulte?

J'ignore à quelle heure j'ai réussi à remonter dans la chambre. Mais je revois d'ici Gisèle, allongée paisiblement comme si elle dormait, sans aucune trace de blessure ou de choc. Et le reste est devenu, de soi, tangible et mesurable. Gisèle, indemne!

Assise à côté d'elle était Elseva, immobile, qui avait l'air de m'attendre.

Finalement, Elseva s'est levée, mais en s'ancrant, en s'ancrant au montant du lit. «Elle est plus forte que je le croyais... Comme toi...»

— Tu l'as guérie?

— Laisse-la dormir. Ne lui dis pas que je suis... intervenue.

— Elseva, moi qui... je t'aurais tuée.

Elle tanguait méchamment, en cherchant à s'avancer vers la porte.

— Attends! laisse-moi te conduire.

— Non, fais signe à Karl, a-t-elle soufflé.

J'ai ouvert la porte, Karl attendait. Il est entré, me l'a prise, et ils ont disparu de ma vue.

Voilà. Et Gisèle a dormi pendant deux jours.

Pendant ces deux jours, tout le monde s'est acharné au travail; ça se sentait, le premier en chauffait presque. Et moi, au deuxième, je restais ployé des heures sur des plans, des devis, à faire corps avec une table basse: l'imaginaire était ressurgi. Je me fichais du mal de dos. Je voulais rester dans la chambre, pour y être au moment où Gisèle me reviendrait. Je la regardais récupérer dans son sommeil, et c'est tout ce que je demandais.

Le soir du deuxième jour, je suis allé interrompre Gabriel dans son studio perché.

— Depuis combien de temps t'es ici, Gabriel?

— J'ai arrêté de compter. Depuis des mois, depuis toujours, il me semble..

— Et ici, tu travailles mieux qu'ailleurs, mieux que jamais, non?

— Oui. Pourquoi ces questions?

— Pour comprendre... Tu vois Elseva autant que tu le voudrais?

— Non... Mais...

— Ecoute, tu n'es pas obligé de me répondre mais... quel genre de rapport as-tu avec elle?

Il n'a pas aimé cette question...

— Gisèle est guérie, ai-je conclu.

— Je sais.

— Elseva te l'a dit?

— Non, mais je le sais. Au Brésil, on fait encore attention à ces choses-là. Elseva est montée dans votre chambre l'autre soir, *não?*

— Oui, et elle en est sortie complètement vidée. Tu comprends ça, toi?

— Encore? Mais... C'est trop, je me dis que... ça ne peut pas continuer....

— Tout continuera, crois-moi.

— Je ne sais pas... Surveille-la.

— Qui, Gisèle?

— Elle doit trouver sa place ici, ou partir. Il y a une... une cohésion qu'il ne faut pas briser, ici. Il y a une magie à cette maison. Je connais...

— Mais Gabriel, comment veux-tu qu'elle parte maintenant? En civière?

— Sur ses deux pieds. Aussitôt qu'elle sera mieux. C'est elle qui doit choisir. Les femmes d'ici sont indépendantes. Si elle ne part pas, cette maison ne sera pas la même. Je n'ai jamais vu Elseva mettre autant de...

— Qu'est-ce que tu cherches à dire?

— Rien, rien, oublie tout ça. Ça vaut mieux. Peut-être que je me trompe. Et ça, c'est pas ton langage à toi. Toi, c'est du concret. On a eu assez d'inquiétude... Assieds-toi et écoute, je veux te faire entendre quelque chose. Tu veux un cigare?

Elle s'est éveillée pour de bon peu après, ce soir-là. Elle paraissait rajeunie, allégée: un être tout neuf.

— J'ai dormi longtemps?

— Le temps de concevoir un immeuble.

— Si longtemps que ça? Attends, il y a eu l'auberge mais... Quelle date sommes-nous?

— Le vingt-neuf novembre.

— Quoi?

Tout à coup, il y a eu un fossé entre ses sourcils. «Elseva», a-t-elle dit tout bas. Elle a fait un gros effort pour se souvenir, puis elle s'est mise à me raconter en détail ce qui s'était passé ce jour où Elseva l'avait si profondément bousculée qu'elle en avait perdu «tous ses repères». Elle évoquait vaguement le cadre de l'auberge, mais semblait avoir oublié tout ce qui s'était déroulé ensuite. Ou au chantier. Je lui ait dit qu'elle était tombée, et qu'elle avait été malade.

— Je l'ai redoutée, j'ai mordu au piège...

— Veux-tu partir? Je te suivrai, si tu veux...

— J'ai dû lui faire très mal...

— Je n'aurais qu'à revenir plus tard, beaucoup plus tard, reprendre toutes nos affaires.

— ...

— Gisèle, écoute-moi. Elle aussi t'a fait du mal... Partons.

— Mais je ne peux pas partir! J'ai le sentiment que... Je n'arrive pas à... la haïr! Partir sans comprendre, non! Il faut qu'on reste. Il faut faire bien attention, et surveiller tout ce qui se passe, Paul. Elle est plus grande que nature. On ne peut pas l'affronter sans être vigilants, tenaces. Il faut qu'on soit forts! Tu vois où je veux en venir? Ça finira pas comme ça, ce serait trop bête. Et je VEUX des réponses. Elles se trouvent ici...!

— Attention Gisèle, je t'ai entraînée ici, je ne voudrais pas...

— Oui, oui, je sais. Mais cette fois, c'est bien moi qui décide. Tiens-toi bien.

Forte, elle ne l'était pas tout à fait. Pas encore. Mais elle s'est remise dans la vie comme un soldat en campagne, s'est coiffé les cheveux, s'est habillée, et on est descendus au front. Ils étaient tous les trois dans la grande salle, prévenus par quelque discret appel de trompette. Gabriel contre Kathryn, Elseva derrière.

Lui, il avait les poings qui se fermaient et s'ouvraient en succession rapide, et Kathryn s'est jetée sur Gisèle pour l'embrasser. Mais une Elseva assombrie la regardait à distance. Membre par membre, millimètre par millimètre...

— Tu m'appartiens, a-t-elle proféré avec un sourire équivoque. Tu appartiens à cette maison désormais.

Gisèle la regardait bien droit, au garde-à-vous.

— Dites la vérité. Je n'étais pas prévue dans votre scénario. Vous vous protégez si bien de la réalité que toute nouveauté vous décontenance. C'est une faiblesse, Elseva. Vous n'aviez pas prévu que Paul revienne avec une femme ici.

Le temps d'un battement de cœur, Elseva a été surprise. Puis un rire intime a allumé ses traits.

— Mais de quel droit est-ce que j'essaierais de contrôler *qui* ou *comment* on aime? Je t'entends penser, Gisèle. Dis-toi qu'heureusement pour nous tous, l'amour et l'affection ont mille formes!

— C'est vous qui le dites. Si je reste, je reste de mon plein gré: je n'appartiens à rien, ni à personne, est-ce clair? Je veux travailler, apprendre, continuer. Rien que pour moi.

— Prouve que tu en es capable. Montre ce que tu es. C'est alors que tu t'appartiendras, quand tu créeras vraiment. En attendant...

— Pourquoi faites-vous cela? Loger les gens, les nourrir, les isoler?

— Je ne les isole pas. Et si, un jour, tu le comprends vraiment, tu n'auras plus de répit...

Gabriel et Kathryn étaient remontés. Moi, je les regardais l'une et l'autre, comme une balle à un match de tennis.

— Vous achetez des âmes, Elseva.

— Vous dérober votre instrument de travail? A quoi bon? Je n'en veux pas de vos «âmes». Encore un petit effort, Gisèle.

— Répondez. Comment exigez-vous remboursement, à la fin?

— Ne t'enlise pas...

— A première vue, vous n'y gagnez rien. Ni argent, ni gloire...

— Je n'en ai que faire! L'argent et la gloire gagnés de la sorte, c'est du faux, et c'est précaire!

— Là, vous parlez comme un prédicateur.

— Je n'ai pas de dieu!

— J'en doute, moi. Parce que vous jouez le grand mystère, constamment. Et je ne partirai pas avant de savoir ce que vous cachez, d'où vous tirez vos étranges «pouvoirs». Je veux savoir qui vous êtes réellement, et à quelle fin vous travaillez...

— Alors vous serez deux à le faire. Mais je ne sais pas si Paul tient à s'acharner autant.

— Moi, je vous surveille, Elseva!

— A ta guise. Juge-moi. Mais tu n'y arriveras pas en quelques jours...

Je n'allais plus d'une à l'autre. Il n'y avait pas de balle, pas de filet à ce jeu. Non, moi, je me posais aussi des questions. Toutes nouvelles et muettes. Personne n'avait encore osé affronter Elseva de la sorte. A quel prix Elseva avait-elle laissé revenir Gisèle chez elle? A quel point Gisèle avait-elle déjà changé?

— Laissez-moi seule, dit Elseva. Allez prier vos petits dieux...

Trêve de gentillesses, on a pris congé...

Quand j'avais connu Elseva, dix ans plus tôt, elle était une toute jeune femme. Qu'on le croie ou non. J'avais été invité, un soir, par un ami de Skiller, un poète, qui fréquentait la maison comme on fréquente un salon. C'était à la toute fin des années soixante-dix et l'art était déjà en plein éclatement. On voulait casser avec le passé, à tout prix. Les moyens étaient parfois intéressants, mais les valeurs véritables manquaient. On contestait encore ferme, mais on n'avait toujours pas trouvé ce qu'on voulait mettre à la place de ce qui s'était fait.

Skiller et moi, on n'aimait pas jouir du sombre, du moins, jamais longtemps. Tous les deux, on faisait tache dans nos disciplines, quoi. Je sais comment nous voyaient nos copains à la mode, comme des individualistes, un peu ridiculement réactionnaires et... matérialistes! Alors qu'on ne possédait rien, sinon un rêve. On voulait la comprendre, cette réalité, cette modernité. Et chez Elseva, les idées battaient leur plein.

Pour tout dire, elle se comportait avec nous comme une muse, une égérie. Elle passait pour riche, avait hérité de je ne sais qui, et venait de s'installer à Montréal où elle s'entourait surtout d'artistes. Elle connaissait encore mal l'architecture et le cinéma, mais elle apprenait vite. J'ignore d'où elle tenait une telle connaissance des humanités (elles étaient déjà oubliées dans les programmes scolaires en Amérique), qui l'aidait en tout. En fait de confiance en soi, en matière intellectuelle, Elseva était imbattable. Et infiniment curieuse, et assoiffée de beauté.

Elle devait venir d'Europe centrale, son nom était impossible à prononcer. Ancienne aristocratie russe, fuyant depuis des générations le socialisme, lignée juive transfuge depuis la guerre? Depuis l'Espagne des marranes? Depuis plus loin encore? On n'en savait rien. Elle gardait un secret farouche sur son passé, mais on constatait assez vite qu'elle avait beaucoup voyagé et qu'elle avait connu certains des plus grands cerveaux de notre temps.

Bon, elle nous subjuguait, c'est vrai, et nous prenait peut-être pour ses chevaliers servants... Il lui avait fallu peu de temps pour avoir sa cour. Mais sa présence était un tel catalyseur! Je m'étais approché un peu d'elle. J'ai même cru qu'elle aimait ma façon de penser, l'ardeur que je mettais à apprendre, ma curiosité, ma haute opinion de moi-même: j'avais plus de projets qu'on ne peut en réaliser en une seule vie! J'étais timidement amoureux d'Elseva. Je savais, cependant, et profondément, qu'elle n'appartiendrait jamais à personne. En tout cas, pas à moi. Pas tel que j'étais. Je luttais contre cette espèce de gêne-désir qu'elle nous imposait, presque tous, et j'essayais de démêler, en une femme si apparemment jeune, l'incroyable amas de passion et de force qui l'habitait déjà.

Ce qui m'avait surtout attiré en elle, c'était son esprit exigeant et ludique. Quand sa pensée embrassait un objet ardu, sa raison assouvie, Elseva était en état de plaisir: elle jouissait de tous ses pores, et rien ne pouvait nous le cacher — encore moins dans sa prime jeunesse. Elle était le mystère et l'attirance mêmes. Etait-ce son intolérance, sa dureté ou son inquiétant magnétisme qui m'avaient fait peur, à l'époque? Dès les premiers jours, elle avait semblé deviner mes pensées, me lire jusqu'à mes convictions, mes aspirations secrètes. J'ignore comment ont réagi ses autres «invités», mais cette proximité dangereuse m'avait glacé. J'avais ma personne à découvrir. Je suis allé voir ailleurs si j'y étais. Si j'y avais plus de place.

Le poète avait résisté moins longtemps que moi. De nous trois, seul Skiller avait continué de fréquenter la maison d'Elseva... Et on sait où ça l'avait mené...

Dix ans plus tard, Elseva avait vieilli un peu. Sa candeur première s'était transformée en certitude. Son esprit enjoué et exigeant s'était initié à des jeux périlleux. Extérieurement, elle avait vieilli trop lentement, trop peu pour qu'on isole d'elle son âge, sa durée de vie. Ses traits s'étaient affinés, ses formes s'étaient amincies, elle en devenait plus magistrale, plus racée encore. Et les années lui avaient donné une force profonde, occulte, à lui incendier les yeux, lui écorcher les gestes. Chez elle, la nuance et l'à-peu-près n'existaient toujours pas. Mais est-ce un avantage? La vie ne l'avait pas fait déchanter, la compromission n'était jamais survenue, je suppose. Du moins, jusqu'à notre arrivée...

Depuis quelque temps peut-être, elle s'était éloignée du mondain, de la rue, de la vie comme nous l'entendions. Gisèle avait raison: ce retrait de la réalité était une faiblesse. Pourtant, j'aurais pu jurer que sa solitude n'était pas une fuite: une chose très puissante la retenait ici, sorcière et prisonnière. Ses coiffures, ses vêtements s'étaient faits intemporels, marginaux — comme si la mode était une chose trop futile pour qu'elle s'y attarde. Je la soupçonnais d'avoir tellement d'orgueil qu'elle considérait trop facile de s'habiller ou de vivre comme les autres. Mais elle y gagnait en mystère: sa séduction s'était faite fine et plus perfide. Aiguisée comme une lame, elle ne manquait rien, ne pardonnait rien. Comme si le temps, pour elle, se déroulait autrement que pour le commun des mortels, comme si chaque minute prenait l'espace d'une vie, elle ne semblait plus connaître ce qu'était le vrai repos, le relâchement. Elle restait d'une intransigeance phénoménale à l'ère moderne. Quelque chose d'approchant le surhumain s'était greffé à elle. Qui tenait plus du diable que du Bon Dieu (qu'elle eût trouvé fade). Je pouvais en sentir la présence, sans en deviner vraiment la nature.

Pas plus aujourd'hui qu'hier, elle ne savait ou ne voulait nous parler d'elle. Cette façon qu'elle avait de ne jamais s'arrêter, de tout donner à ce qu'elle faisait nous fascinait. Bref, si l'étrange Elseva n'avait pas existé là, sous nos yeux, Gisèle ou d'autres l'auraient inventée tôt ou tard. Elle manquait au paysage contemporain.

C'est pourquoi nous sommes restés, nous avons voulu rester dans cette maison, dix ans plus tard. Parce que le mystère d'Elseva nous intriguait, et que, de plus en plus, il nous mettait en instance de nous perdre, ou de nous surpasser à tout jamais.

A mesure que les jours passaient, je voyais Gisèle durcir. Elle perdait tranquillement son indolence, elle changeait de trajectoire. Autrement, je ne sais pas, elle aurait peut-être vieilli comme une jolie femme, sans actions remarquables, dans une vie à première vue bien remplie, mais profondément vide. Et plutôt veule. Comme un amas de petits plaisirs, qui ne laissent ni chocs, ni épreuves véritables, ni exaltation. Un long tarissement, qui vous fait vous demander, quinquagénaire, où sont passées toutes ces années. A mourir déjà presque vide. Je commençais à comprendre pourquoi je l'avais vraiment emmenée ici. Je sais aujourd'hui à quel point c'était cruel. Et à quel point, au fond, elle le méritait...

Elle travaillait ferme, à présent, Gisèle. Aucun bruit ne me parvenait depuis la bibliothèque. Elle écrivait maintenant loin de moi. Sa sagacité première virait au caustique. Nos discussions s'escarpaient, plongeaient loin, mais quand elle riait, quand elle riait! Ça surgissait tout droit du diaphragme, une mélodie des viscères. Et ça me coupait tous mes moyens. Non, elle ne levait plus les sourcils à tout bout de champ, comme avant. C'était plus entier. Elle avait des haussements d'âme.

Entre Gisèle, Elseva et moi, il y avait à présent une belle perversion, l'intensité, et une énorme pudeur, l'orgueil.

Et moi, dans ma figure de comptable, je commençais à soupçonner que les anciens Grecs n'avaient pas inventé les muses de toutes pièces. Je devinais qu'elles existaient, et qu'Elseva nous les offrait à sa manière. Moi aussi, je devenais plus imprévisible, je n'écartais plus entièrement l'occulte. Etait-ce l'étrange beauté que contenait cette maison, ou l'atmosphère qu'Elseva y mettait? Difficile à définir: Elseva était cette maison.

Et j'en étais devenu tributaire. Nos identités passaient du flou au dur, du dur au flou, à mesure que nous occupions plus de place dans cet immeuble, à mesure que nos frontières humaines se heurtaient, s'immisçaient les unes dans les autres. Et on a laissé nos peaux se distendre, se dissiper, se crisper. On les a données aux cloisons, aux murs de cette maison, aux viscères d'Elseva. Sans même manquer d'air... C'était pleinement, irrévocablement voulu.

Dès le lendemain du réveil de Gisèle, on s'est plongés dans la maison comme dans des entrailles fraîches, pour brusquer les augures. Gisèle a aussitôt entrepris un scénario, arpentant les couloirs, un stylo en main, les yeux rivés à tout ce qui tombait sous leur trajectoire. Mais le front paisible, et la bouche en demi-sourire, comme si quelque chose l'attendait au moindre détour. Notre vie érotique a changé, pour un parcours en dents de scie. Non, ce n'était plus acquis. Gisèle écrivait, se levait la nuit pour écrire, se couchait pour rêver à ce qu'elle allait écrire. Quelquefois, on tombait fortuitement sur le lit, entre chien et loup, à apprendre une nouvelle tendresse. Gisèle, plus forte, n'endurait plus de connaître son rôle à l'avance. Nos voix devenaient si profondes, si entremêlées. Qui était l'homme et qui était la femme? Seuls nos sexes spécifiques cristallisaient, chacun à sa façon, nos passions; pour le reste, l'émotion, nous étions si souvent les mêmes. Nous apprenions de nouveaux langages, à force de nous chercher l'un et l'autre de tous nos sens. A deux, on s'était mis à défaire, de nos mains, l'écran qui fait l'Autre. Dont les lambeaux auraient pu nous navrer. Mais non, on exultait.

Elseva ne se manifesta plus dans notre chambre; elle nous importait peu, en de tels moments.

Et de tout ce temps, inexorablement plus dense, mon immeuble prenait forme. Les étages s'élevaient comme une grille, les rideaux de verre allaient peu à peu se dresser sur la charpente. Je n'intervenais plus que par à-coups, pour résoudre des problèmes au besoin. L'hiver venait, on était pressés d'avancer, d'accoucher de l'édifice. Ma tête bourdonnait. Des projets s'ébauchaient, naissaient d'eux-mêmes, souvent des schémas un peu fous que je rangeais soigneusement en attendant la panne d'imagination. Qui n'arrivait jamais: j'étais poussé, comme par un délicieux mal de dents, à ne jamais tenir en place, à travailler jusque dans mon sommeil.

C'est à cette époque qu'Elseva a fait installer l'énorme ordinateur central dans la bibliothèque, avec terminaux disséminés dans la maison. Nos cerveaux n'étaient plus assez, nos mains ne suivaient plus. J'ai participé un peu au remue-ménage, heureux d'occuper si concrètement mes membres. Elseva ne voulait pas remplir sa maison d'experts ou de techniciens, ne voulait pas qu'on viole sa tour. J'ai même vu Elseva assise à l'ordinateur, le contraste total entre ses courbes, sa flamme, et la froideur carrée des appareils. Elle n'avait guère de patience avec lui, le trouvait bien fruste. Puis, quand tout a été installé, je me rappelle qu'elle est montée subitement au troisième, un après-midi, après un message sur l'écran, qui disait «*Get the hell up here!*». Ce devait être de Karl, qu'on ne voyait plus en bas.

Quand j'ai revu Elseva, ce jour-là, ses mains tremblaient. Je les ai fixées, elle m'a vu faire. On ne l'a plus vue pendant deux jours. Sa chambre était peut-être la seule à n'être pas reliée au système. De la bibliothèque, Gisèle a envoyé des messages à tout le monde, via l'écran cathodique. Personne n'a répondu.

L'ordinateur corrupteur nous avait enfermés dans nos locaux, fascinés. Gabriel travaillait à la composition assistée jusque tard dans la nuit, dans son studio du premier où s'étaient greffés de magnifiques appareils capables de synthétiser, d'échantillonner, de triturer, moduler et enregistrer tous les sons possibles. Kathryn prenait quelques heures pour s'initier à l'informatique avant ou après ses répétitions. Son rire étonné percutait parfois dans le couloir, comme des coups de cymbale. J'étais presque toujours à l'écran et Gisèle avait investi la bibliothèque, à traiter son texte du bout des doigts sur le terminal qui était là. Le jour, on se voyait peu, mais on se trouvait souvent réunis le soir. Il fallait bien manger. Le jour, on grappillait à la cuisine, où Rose se pointait à intervalles décousus. On ne se posait nulle part, sinon pour travailler ou en parler. Ce fut une époque encore plus étrange que la précédente.

Après son absence de deux jours, Elseva est apparue à table très maquillée, nous tombant dessus comme en parachute dans une immense tunique en cloche. Quand je lui ai demandé des nouvelles de Karl, elle a fixé le plafond: «Il travaille». Il se servait donc de l'ordinateur? «A son âge!», s'est exclamée Kathryn, que le regard d'Elseva a aussitôt hachée en menues pièces. Et la danseuse s'est levée en faisant claquer la salière comme une détonation sur la table.

On l'a entendue sauter dans son studio, peu après. Résolument, à essayer d'en briser le plancher.

Dans l'atelier, Elseva m'a emmené voir la nouvelle sculpture de Piotr. C'était ce soir-là, le soir de la salière. Tel un présage.

Gisèle commençait à émerger de la pierre, mais quelque chose n'allait pas. Quoi au juste? Les traits du visage étaient encore à peine dégrossis, mais la forme globale de la tête m'a donné froid. Elseva n'a rien compris ou n'a pas voulu comprendre. Elle a laissé couler sa main le long des jambes déjà lisses pour dire: «Touche, Gisèle est là. Sa substance se retrouve ici, dans cette salle. Captive.»

— Qu'est-ce que tu veux dire au juste?

Elle m'a tourné le dos avec superbe, s'est mise devant la statue comme devant un autel et m'a adressé un de ses regards brûlants. Je lui ai aussitôt saisi le bras d'une main en pince, qu'elle a délogée en proférant: «A force de tout vouloir y sacrifier, vous serez les derniers, les derniers à comprendre!». Et je jure devant le présent qu'il y avait des larmes dans ses yeux.

Elle s'est vite détournée, et est disparue.

J'avais un nœud à la gorge: je me suis mis à la chercher dans cet énorme atelier encombré, mais la minuterie de l'éclairage a fait entendre son maudit «clic», et je me suis retrouvé en pleine pénombre entre les titans, les maquettes, et les divers appendices professionnels de Piotr, tout hérissés, complices.

Je suis sorti de là. J'ai ratissé le rez-de-chaussée, puis le premier, pour finalement buter sur Gisèle en suspens dans l'escalier qui a dit: «Elle est montée là-haut... comme si elle avait cent ans...».

Un matin, j'ai vu avec surprise circuler un ouvrier dans nos murs. Quelques jours plus tard, Elseva me remettait la clé d'une pièce fermée depuis notre arrivée. J'avais maintenant un bureau à moi, un vrai, avec table à dessin, terminal, solitude et silence. La peinture, la table, les classeurs, tout était flambant. J'avais donc un prix, dans cette maison... Dont la tenancière ne s'était même pas attardée pour voir ma réaction une fois la porte ouverte.

En ces jours-là, elle s'est occultée, Elseva. Elle s'est un instant matérialisée quand est venue Bianca, une soprano italienne. La pièce à laquelle travaillait Gabriel était devenue une œuvre concertante pour voix et orchestre. Comme il voulait expérimenter avec les cordes vocales et que Bianca venait à Montréal travailler avec l'orchestre symphonique, elle nous arrivait comme une ligne de sonate, avec un nom assez délicieux, un corps arrondi, encore plus aux hanches; Bianca, une pièce d'ivoire sur un échiquier. Avec sa blondeur chamarrée de vénitienne, son torse bien posé, même assise; ses longs silences et ses rires étonnés, en grelots. En tous points coloratur, cette Bianca, qu'on n'a peut-être jamais appris à connaître vraiment...

Notre premier dîner avec elle a fait diversion. J'en avais besoin: je venais de me lancer dans un nouveau projet d'envergure. La fondation Bronstein, suite à des déconvenues côté commerce de détail, rattrapait sa réputation, gage de fortunes futures, en annonçant la création d'un nouveau musée d'art contemporain. L'appel était lancé aux architectes: je m'étais mis à cette dure phase de la première conception.

Gabriel, pour une fois, s'amusait ouvertement. Il avait un peu bu et se ponctuait rubato avec des mains faisant des zigzags. Comme moi, il venait d'avoir un cadeau. Gisèle, qui affûtait de jour en jour ses réparties, nous a tenu l'esprit chatouillé à vif. Et on en redemandait. Gabriel racontait, lorsqu'il n'était pas interrompu, comment il avait failli louper Bianca à l'aéroport. Et renchérissant à coup d'exagérations loufoques, Kathryn nous imitait un Gabriel très distrait, au comptoir d'Alitalia, tâchant de décrire à la préposée une femme qu'il n'avait jamais encore vue en chair et en os.

Kathryn, ce soir-là, était sublime convive: la critique venait de la découvrir et j'ai eu l'occasion, par la suite, de la voir sur scène. Elle a une énergie, un sens aigu de la gestuelle dramatique qui commençaient déjà à la faire remarquer. Chez elle, le visage devient un instrument tout aussi important que les membres, et n'est jamais inhabité. Il se transfigure au gré des évocations et, sous l'insolite tignasse rousse, laisse au spectateur ébaubi des fourmis dans les membres: on voudrait danser avec elle. J'ignore si elle est devenue contagieuse chez Elseva mais en elle, la danse a gagné un nouvel esprit: un mélange explosif de malice, de fraîcheur et de vitalité brute. La discipline n'a en rien entamé son âme. Qu'Elseva a su préserver à tout prix, comme je le comprendrais plus tard...

Ce soir-là, dis-je, on riait ferme malgré l'absence première de notre hôtesse. A notre insu, elle était allée nous attendre, on dirait, dans la serre tranquille. Le digestif en mains, à cinq dans la grande salle, on s'était enhardis comme des scouts avant le feu de camp. On entrechoquait nos verres, on arrosait le tapis. On a bousculé des meubles pour se lancer à corps déchaînés dans une danse carrée avec Kathryn. On a même failli réveiller les portraits de la salle à manger. Cinq enfants terribles.

Gabriel, lui, a dû mettre ses antennes, ou frôler de trop près ces cloisons qu'on occupait en symbiose, et sentir, comme d'habitude, quelque chose. Au troisième café, nécessaire à tous, il est revenu dans la cohue pour me faire signe de venir avec lui. Les autres m'ont suivi en improvisant un *bunny hop* et, les jambes levées en série, on est entrés dans la serre. En pleine obscurité. Où Elseva était ensevelie dans son rotin comme en voyage astral.

Je n'ai distingué d'abord que le pâle, le blanc d'une paire d'yeux fixant fenêtre. Puis quelqu'un s'est avisé d'allumer. Elle avait la plus profonde expression de solitude que j'aie jamais vue.

Quelque chose est tombé de sa main. Un genre d'amulette. Avec laquelle elle s'était déchiré la paume.

Dans la nuit qui a suivi, il a régné parmi nos épidermes une mince rumeur de soupirs, de remuements et de rêves avortés. Je suis sorti mirer la lune. Et j'ai bien vu que la plupart des fenêtres du troisième étaient éclairées. En montant, j'ai entrevu

Elseva arpenter les couloirs, droite et stridulente comme un fantôme... Enfin, j'ai dû trouver un havre dans le corps à moitié endormi de Gisèle, qui m'a enlacé.

Il faisait un soleil gros comme la lune, le matin suivant, et la maison était encore trop silencieuse pour l'heure tardive. Lendemain éthylique, dont j'ai parfaitement profité. Gisèle dormait vaste dans nos draps, ses paupières scandant un rêve. J'ai gravi l'escalier interdit: le troisième était hermétiquement clos, comateux. Et je l'ai violé sans remords. En trafiquant une serrure avec une épingle à cheveux de Gisèle.

Je me suis aussitôt immiscé dans les pièces privées d'Elseva, toutes communicantes. Et inoccupées. L'éclairage du jour supplantait déjà celui des lampes encore allumées. C'était vaste, blanc, à peu près dénudé. Tout se structurait (la moitié de la largeur de la maison, en fait) autour d'une grande salle d'eau entourée de plus petites pièces à peine meublées; l'une, une espèce d'immense placard jouxtant une salle en miroirs, et la plus grande, une salle meublée d'une grande table façon autel. Là, le soleil s'étalait tranquille sur des murs à première vue nus. Mais un de ces murs pivotait, cachait une pièce renfermant un bureau avec ordinateur indépendant, un téléphone et quelques livres! Comme si, même dans son intimité, elle continuait de se cacher... Elseva n'avait donc ni lit, ni vraie chambre? Dormait-elle avec Karl? qui devait habiter l'autre moitié de l'étage...

De ce côté-là du couloir, je ne voyais qu'une seule porte, qui n'avait ni serrure, ni poignée. En auscultant le mur autour de cette porte, j'ai senti le contour d'un panneau qui dissimulait une espèce de matrice en caoutchouc mou. C'était moulé pour accueillir un objet de forme reconnaissable: l'amulette tombée de la main d'Elseva.

Mes soupçons, mes appréhensions et mes théories du moment ont été aussitôt bousculés par la voix de Karl, depuis l'autre côté du mur:

— Qu'est-ce qu'on me veut?

— Je... cherche Elseva...

— Vous croyez qu'elle ne le sait pas?

J'ai ri, mais j'ai bientôt reculé. J'avais entendu un drôle de hoquet.

— Ça va, Karl?

Pas de réponse, mais quelque chose est tombé, là-dedans. J'ai appelé, attendu, frappé à la porte, écouté: plus rien.

Pour une des rares fois de mon souvenir, on s'est tous attablés ensemble pour le déjeuner, ce matin-là, y compris Elseva. Une Elseva un peu blafarde, mais charmante, les yeux agrandis par une espèce de gaieté... nerveuse. Servie avec un sourire de discipline, comme une tenue de camouflage. Elle jouait bien: son regard se baladait comme à la campagne le dimanche, et jamais sa main bandée ne s'est aventurée plus haut que la table.

— J'ai quelque chose à vous montrer, a annoncé Gisèle.

Elseva est montée à la bibliothèque avec elle et je les ai suivies, malgré Elseva qui m'a fixé à rebrousse-poil. Gisèle a hésité un moment, tenant son nouveau scénario comme un corsage, collé à elle.

— Pas de pudeur, Gisèle, il est trop tard.

Et les doigts d'Elseva tremblaient un peu au-dessus des feuilles, prêts à en prendre possession...

— C'est donc si important pour vous? dit Gisèle.

— Important? fit Elseva avec une douloureuse ironie.

Avec son épaule ouverte sur la porte, elle était prête à partir si on temporisait encore. Les feuilles de Gisèle ont échoué comme une vague sur la table; Elseva les a ramassées comme un ressac.

Elle n'a pas levé les yeux, pas même une fois. Se tenait si indiciblement immobile et penchée, couvant et avalant le texte, que j'ai tout essayé pour la distraire: crayon roulant, gratouillement d'ongle sur la table, bip-bip d'ordinateur, mouchage bruyant. En pure perte.

Elle s'est levée d'un souffle. Gisèle a compris à l'instant. Il y avait du brouillard sous les cils elséviens, avec brusque saisissement des pores.

Ce qui voulait dire jouissance.

Elseva lui a mis les mains sur la nuque. Je revois ses bras levés, ses doigts fins, étendus jusqu'aux ongles sur le cou de Gisèle. Et puis une accolade de joues. Elles m'ont regardé tour à tour. Puis Elseva a soulevé le scénario comme un plateau, disant: «Permets-moi... je voudrais le lire à Karl». Pour partir dans nos contentements mêlés.

Gisèle restait silencieuse à regarder par la fenêtre. Je l'ai escortée à notre chambre et l'ai laissée à son triomphe. Quand elle est ressortie, je l'ai enlevée. Jusqu'au restaurant Les Halles, où l'on pouvait manger en criant d'aise.

Elle n'a plus reparlé de son scénario, ce soir-là. Elle savait maintenant mieux qui elle était, sentait ce qu'elle valait. On l'écorcherait avant qu'elle en démorde.

J'ai goûté son dessert... sur le bout de ses doigts.

Quand j'ai, pour la première fois, entendu la vraie voix de Bianca, je me suis arrêté près du studio de musique. Le synthétiseur de Gabriel imitait un orchestre tenu à moyen registre, comme un nuage sous ses pieds vénitiens. Une annonciation moderne, que cette pièce, Bianca, idéalisée, flottant au moins en quarte au-dessus de l'accompagnement. Orchestre et voix faisaient chicane, se lançaient des questions, s'élevaient vers la même issue, des délices.

J'étais planté là, le visage tourné vers la porte, lorsque la musique s'est arrêtée net. La porte s'est aussitôt ouverte sur Gabriel qui, les yeux songeurs, regardait derrière moi. Je me suis détourné pour voir Elseva, dans *mon* kimono de soie, la gorge et les cuisses exposées au soleil.

En un clin d'œil, je l'ai imaginée fouillant *ma* penderie, *mes* tiroirs, et aussitôt, elle m'a lancé: «A chacun ses méthodes, mon vieux!»

Tout à coup, un sifflement admiratif. Le temps que huit pieds pivotent, il s'avançait sur nous un individu en lunettes de soleil. En arrière-plan, Kathryn se tenait toute raide dans l'escalier.

Elseva a eu un frisson de révulsion:

— Ce n'est pas moi, a balbutié Kathryn, c'est Bobbie, je pense, qui lui a donné l'adresse... Rose balayait le perron. La porte était ouverte!

— Qui est ce... Bobbie? ai-je demandé à Gabriel.

— Un type qui tourne autour de Kathryn.

— Léo Copol, a dit l'homme au teint floridien sans se départir de son sourire. C'était un visage rond comme une peau de fesses.

— Vous? a dit Elseva en se mettant à rire avec cruauté.

Je me souvenais du nom de cet échotier à la mode. Sa parole allait loin, chaque mot était commandité. Et on lui payait cher ses ragots, ses «plogues», comme il disait.

— Tu me fais voir ta *ivory tower*, ma belle?

— Vous l'avez vue. Maintenant partez.

— Faut pas empêcher la presse de faire son travail, coucoune...

— Si vous insistez...

Elle a ouvert une porte donnant sur un escalier qui ne servait jamais. «Allez voir», a-t-elle dit en l'invitant à descendre. «C'est là qu'il fallait commencer». Puis, elle a fermé calmement la porte, et j'ai compris: cet escalier menait droit au jardin, en arrière. Il a dû s'y retrouver quelques secondes plus tard, devant la brusque alternative de se frapper le nez à une porte verrouillée ou de se faire oublier côté cour. On n'a plus entendu un bruit.

Kathryn essayait de faire volte-face quand Elseva s'est saisie de son bras pour la mener sans mot dire vers la grande salle. Gisèle, qui lisait dans la serre à côté, m'a dit plus tard que leur conversation avait pris des tours «épiques».

D'après ce que j'ai compris, Kathryn s'était entichée d'un jeune rocker aux supposés antécédents gitans qui semblait pressé de devenir célèbre. Il avait donné l'adresse d'Elseva à Copol en échange d'une mention de son groupe dans sa chronique radio. J'ai eu l'honneur de rencontrer ce Robert quelques jours plus tard quand Kathryn et moi sortions en même temps de la maison. Il l'attendait derrière un arbre qu'il tailladait gentiment en achevant d'y graver *MOUSES*, le nom du groupe en question. Qui doit y être encore.

Jusque-là, j'avais bien aimé le tour qu'il avait joué à Elseva. Et je veux bien qu'on frustre, faute de succès instantané, mais il y a une limite.

Sitôt qu'il l'a vue, Robert a empoigné Kathryn par le sein, à travers le manteau. De l'autre main, il a fait mentonnière. Elle était prise, et essayait de le repousser, ils se sont débattus. Au moment où j'allais m'élancer en justicier, elle lui a asséné un coup de genou en pleine fourche de spandex. Il est resté plié un bon moment, pendant qu'elle prenait ses distances et allait s'enfermer dans la maison. Puis, il a sorti son petit couteau et, comme ça, pour être certain qu'il existait, je suppose, pour en informer le monde entier ou, à défaut, le quartier riche, il a crevé le pneu d'une voiture stationnée là.

— Ce gars-là sait même pas jouer! dirait plus tard Kathryn. C'est fini. Je veux plus le voir, le con.

Mais le lendemain soir, au moment du café, Kathryn est rentrée en longeant les murs. La vue d'Elseva l'a stoppée dans ses pas. Elle n'a pas réussi à se dérober, pas assez leste. Se voyant coincée, elle a fini par exhiber un collant déchiré sur un genou enflé, l'air d'une enfant prise en faute: «Il m'a suivie en moto...». Pas ivre, mais blessée et un peu honteuse.

Elseva a crispé les poings, l'a laissée dans le couloir et est revenue s'asseoir à table. «Vous ne m'aiderez pas?» dit Kathryn d'une toute petite voix feinte. Elseva considérait ses portraits, l'oreille tendue comme s'ils lui parlaient.

En claudiquant, Kathryn est venue répéter sa question un peu plus fort. «Non», a dit Elseva sans se retourner. Et Kathryn, rosie de contrariété. «Ça va, je connais le scénario. J'ai déjà une mère.»

A ce que j'ai su plus tard, sa mère était une ancienne starlette des variétés, entrée depuis peu dans une secte de chrétiens purs et durs, aussi absente maintenant qu'elle l'avait été naguère. Et incapable de supporter que sa fille porte des collants sur une scène, même en mouvement rapide. Même si c'était sublime...

Kathryn était devenue écarlate.

— Vous pensez que je vais monter à ma chambre en attendant d'avoir votre permission de sortir? Que je vais me tenir avec qui vous voulez, quand vous le voulez, c'est ça? Ben ALLEZ VOUS FAIRE...

— Tais-toi. Si tu te promènes dans cet état, tu vas le déchirer, ce ligament. Tu es prévenue. Monte à ta chambre et avise la compagnie de danse que tu en as pour trois ou quatre jours de repos. Au moins. Paul t'aidera à monter.

Kathryn a bien essayé de virevolter, mais s'est raccrochée juste à temps à la chaise de Gisèle. Elle nous a regardés, toujours écarlate.

— Je veux partir d'ici.

Elseva s'est mise devant elle pour lui fouiller les yeux.

On est partis, nous. Au bruit de sanglots, suivis d'un lourd silence. On ne m'a pas convoqué.

Kathryn devait se remettre normalement, cette fois. Mais, le lendemain, déjà, elle était autrement plus calme dans sa chambre. On l'a trouvée au bout de sa jambe ramollie sur des coussins: elle écoutait rêveusement Gabriel qui lui chantait quelque chose.

— Alors, tu restes? lui a demandé Gisèle

— Oh! rien ne me force à vivre ici! Je peux partir quand je veux...

«On verra, quoi!» a-t-elle conclu, avec un clin d'œil.

On n'a pas vu Elseva, cette journée-là. Je pressentais que toute son activité se déroulait au troisième. Pour faire changement, j'avais tort.

Je regardais Gisèle poser pour Piotr quand elle a fait irruption dans l'atelier, le lendemain. «Piotr, j'ai besoin de toi». Elseva, avec un besoin? Gisèle a remis son grand chemisier bleu, est allée finir de s'habiller dans la serre. La pièce avait l'air d'un sac mal fouillé: des plantes renversées, de la terre et des livres éparpillés dans un coin. Piotr est passé, avec une grande caisse sur l'épaule, Elseva fébrile derrière, dans le silence et l'absurdité d'un film surréaliste.

Je suis retourné à l'atelier... pour mieux voir quel visage venait à la nouvelle sculpture de Piotr. Il s'était précisé, présage d'un étrange amalgame des traits d'Elseva et de Gisèle. Ces surimpressions de visages m'ont toujours fait peur. Et ces deux-là étaient ce qu'il y a de plus difficile à rapprocher. Gisèle, sa mâchoire pleine et gourmande, ses joues planes, son profil bien droit, et la ligne toute orientale et bien différenciée du visage d'Elseva, ses courbes et ses angles délicats ne seraient superposables que si l'on faisait d'un le masque de l'autre! Et j'ai perdu mon calme, tourné le dos à l'œuvre de pierre...

Un de ces soirs-là, on est allés voir le film de Jeanne, qui, lancé depuis quelques jours en salle, était bien accueilli par le public. Elseva, bien sûr, ne nous accompagnait pas. Jamais, depuis notre arrivée, n'avions-nous vu notre hôtesse quitter sa maison.

L'hiver refusait encore de s'installer vraiment: le temps restait doux et sec. Comme le peu de neige tombée n'était pas restée sur le sol, la ville était sombre et un peu boudeuse. La fin janvier, si ce n'étaient les arbres noirs et les journées brèves, se prenait pour une fin d'octobre.

Parfaitement remise de ses émotions, Kathryn ouvrait la marche en béquilles et s'arrêtait à tout moment pour montrer quelque chose à Bianca, laissant Gabriel à ses rêveries.

A la fin du film, on s'est regroupés sur le trottoir de la Catherine, où Kathryn a proposé d'aller dans un de ces restaurants clandestins qu'on ouvrait pour quelques soirs au hasard des cliques. Dans une atmosphère intime, on buvait et on mangeait branché en compagnie de marginaux à la mode pour une somme assez raisonnable. Kathryn connaissait les propriétaires d'un appartement où l'on ouvrait les portes ce soir-là, et a convaincu Gisèle, Gabriel et Bianca de la suivre. Le film m'avait mis des idées en tête, avec lesquelles je me suis empressé d'aller jouer chez Elseva.

Je n'ai même pas eu le temps de penser à ce qui arrivait. Un incendie s'était déclenché dans le jardin. Robert avait choisi de se venger en répandant de l'huile sur un fatras de bois et de branches qui n'attendait que l'occasion de s'enflammer. J'ai fait effraction pour ne trouver ni Karl, ni Elseva et je suis redescendu à toute vitesse dans le jardin pour me battre contre les flammes qui approchaient des murs. La maison, à première vue, semblait intacte.

J'ai fait sauter la porte d'un petit débarras qui donnait dehors pour y chercher une sortie d'eau. J'ai joué du boyau dans la fumée pendant une bonne demi-heure et j'ai fini par écraser les flammes. Montréal travaillait pour moi, ce soir-là: il n'y avait pas de vent. Mais la fumée, elle, avait gagné la cave.

Le débarras du sous-sol était borgne, il n'avait qu'une porte, l'extérieure, celle que j'avais empruntée. C'était illogique, et même dangereux, et le sous-sol devait être autrement plus vaste, mais je n'avais pas le temps de m'attarder à la question. Je suis rentré par la porte avant pour inspecter les pièces. La fumée montait tranquillement au rez-de-chaussée dans la serre, en dessinant un carré sous le fauteuil que j'avais trouvé déplacé, ce jour-là: une trappe sophistiquée, que j'ai mis beaucoup de temps à ouvrir. Cette trappe répondait, du haut, à trois coups frappés en un endroit bien précis du panneau. Comme au théâtre...

J'ai débouché dans un couloir insoupçonné au sous-sol et, quand la fumée s'est assez dissipée, j'ai vu la porte ouverte. A en rester là, ébahi.

C'était une pièce unique et immense éclairée à mi-hauteur. Qui foisonnait de sculptures, de pièces diverses, de tableaux: des chefs-d'œuvre. J'avançais dans la fumée comme dans un jardin secret quand m'est apparue Elseva.

Elle était agenouillée au pied d'un lit somptueux, devant Karl étendu. La caisse de Piotr se trouvait là, béante dans la pénombre. Je me suis tapi dans l'ombre d'une sculpture de Moore. Elseva avait figure de rêve ou de cauchemar, échevelée, toute tendue vers lui comme une implorante. Dans un immense velours, couleur de sang vieilli, qui lui drapait une silhouette Renaissance. Et ses deux bras tendus, lourds d'avoir été allongés, et trop minces, appelaient sans l'atteindre le gisant.

Karl était mort.

J'ignore depuis combien de temps elle était là, indifférente même à un incendie, mais sa lividité annonçait une éternité. Je me trouvais devant la vraie Elseva, l'Elseva déliée, primordiale. Je ne sais s'il faut que j'en blâme la fumée, mais j'ai étouffé.

Elle m'a vu enfin, s'est levée en chancelant. Je n'aurais jamais cru qu'un jour, Elseva me tomberait dans les bras. J'ai seulement senti une infinie douleur ramassée contre ma poitrine. Elle murmurait: «Il faut l'ensevelir» et l'admirait, lui, vacant, avec une dévotion dont je ne l'avais pas crue capable.

Ce soir-là, alors que je mettais Karl dans la grande caisse et que je l'enterrais dans le jardin, je me suis épris d'eux. J'ai été l'enfant de ce lien tragique qui les avait unis, elle et lui. Si bien que j'ai mis du temps à poser les questions qui pourtant s'imposaient. Les flammes ont recommencé dans le jardin, je les ai éteintes, je me suis laissé prendre par une frénésie de gestes urgents avant de constater jusqu'à quel point elle était humaine, et jusqu'à quel point cette humaine était désemparée.

On s'était enfin échoués au troisième, l'étage tout entier maintenant happé par la pénombre. Assis sur le tapis, on était pénétrés de cette fumée dont l'odeur collait encore aux narines. J'avais les membres comme ces vieilles branches à moitié carbonisées du jardin. Et on tentait de reprendre notre souffle sans vraiment y parvenir.

— Elseva, pourquoi on l'a enterré ici? Est-ce qu'il y avait un danger à... Qu'est-ce qu'il a fait?

La fumée et la fatigue nous avaient presque dérobé nos voix.

— Jamais fait de mal à personne... Il voulait rester près de moi. Je ne veux pas qu'on touche à son corps...!

Les moments de suspension sont parfois la seule façon de traduire des naissances de sanglots. Même les lettres que je trace ne peuvent dire nos voix, nos gestes écorchés...

— Dis-moi pourquoi tu caches tous ces chefs-d'œuvre...

— Ils sont mon âme, Paul....

— Il y a autre chose au sous-sol.

— C'était un homme, qui... savait attendre... Je t'en supplie, ne parle pas de ce que tu as vu, de ce que tu crois qui... Ils ne comprendraient pas...

Je n'avais déjà plus la distance pour questionner.

Elle était passée dans sa salle d'eau. J'attendais, dans cet intervalle silencieux de presque nuit qui me harcelait. Qui s'était avancé à mesure que s'était dissipée la fumée. Quand elle est revenue, je ne voyais que ses yeux, glacés de douleur.

— Accompagne-moi au sous-sol. Ils vont bientôt rentrer.

Je lui ai cueilli tout doucement les mains. Peut-être parce que sa tête s'était posée sur mon épaule.

— Tiens-moi fort, Paul. Ces escaliers...

— Mais qu'est-ce qu'on peut faire, nous...?

— Restez... Ne partez pas maintenant. Attendez. Kathryn...

— Oublie Kathryn et fais attention à toi, Elseva. Si tu continues de tout sacrifier à...

Là, dans son sous-sol, une expression est revenue à son visage, une expression étrange.

— Mais je ne sacrifie rien! Regarde de quoi je suis entourée.

J'ai seulement parcouru tout cet art du regard.

Non, les muses n'étaient pas mortes. Elles avaient seulement squatté ici, pour survivre en Elseva, avec ces œuvres comme invocations. Et Elseva n'aurait pas pu vivre ailleurs que dans cette maison, ainsi entourée.

— Mais il peut faire tellement froid dans toute cette beauté, j'ai dit.

— Jamais... jusqu'à maintenant...

J'ai été chassé par un couple d'amants signé Rodin, des enlacés qui ne toléraient pas ma neuve proximité. A côté, un visage lunaire de Klee détournait déjà les yeux en direction d'une scène désertique de Chirico. Tout était possible ici. Tout. Et plus que jamais.

Gisèle, Bianca, Kathryn et Gabriel sont rentrés sans me réveiller. Gisèle a ouvert nos draps sur un homme presque comateux. Douché, puis tombé humide dans le lit comme une vadrouille hérissée, je n'étais pas objet de désir. Elle s'est posée comme un couteau, droit et loin.

Le lendemain matin, j'ai convoqué. J'ai expliqué l'incendie, escamoté la mort de Karl. Je leur ai laissé comprendre qu'Elseva se reposerait quelques jours. On a ouvert tout ce qui était porte ou fenêtre pour chasser les relents d'odeur carbonisée. Et on a continué de faire ce qu'on savait le mieux faire.

Gisèle a dû voir le souci avec lequel j'observais les ouvriers venus travailler au sous-sol quelques jours après l'incendie, mais elle n'a pas relevé, trop absorbée par son scénario. J'avais d'ailleurs laissé entendre qu'il y aurait peut-être du remue-ménage de ce côté. La neige, enfin, tombait, et un linceul brillant couvrait Karl. Elseva, drapée de lourds tissus clairs sous des arbres grossis de neige, surveillait sans être vue le travail des ouvriers. Au matériel qu'ils employaient, j'ai conclu qu'ils scellaient une partie du sous-sol. A mesure qu'ils avançaient en souillant la neige, Elseva s'habillait plus foncé pour se confondre avec les arbres et la terre assombris.

Le travail terminé, elle est disparue, et je me suis réinvesti dans mes plans de musée, en me demandant de temps à autre si les ouvriers avaient pu voir le trésor que cachait le sous-sol. Et d'où pouvait venir l'argent — ou le pouvoir — qui aurait permis l'acquisition d'autant d'œuvres inestimables... Le deuil, ce trou noir qui devait habiter Elseva, en bas, m'a fait hésiter à aller la débusquer dans sa cachette. Mais je me suis promis de l'interroger aussitôt qu'elle nous reviendrait. On ne pouvait pas continuer ainsi, à ne pas comprendre ce qui ce passait sous nos yeux. En attendant, mon incursion au sous-sol m'avait donné une idée précise pour l'aménagement du futur musée.

J'avais vu, dans une exposition d'art contemporain, une installation qui avait complètement renversé les dimensions d'une pièce. Pour les ouvrir, sans limites visibles. Toutes les cloisons disparaissaient dans un brouillard évanescent, l'aube du monde. Quand on y entrait, on était seul avec soi-même, devant une infinité. J'ai entrepris de trouver l'artiste qui avait réussi ce prodige. Il lui suffisait d'un éclairage et d'une peinture dont il avait le secret, dosés en fonction du volume à tromper.

Ma rencontre avec l'inimitable Spencer M'Clintock a eu lieu dans un café-loft hanté par de longues silhouettes anthracite: les artistes de l'avant-garde. On y servait des ales de petites brasseries obscures, produites en quantités si limitées qu'elles donnaient l'impression d'avoir fermenté dans des utérus, bien exclusives mais à peu près imbuvables. On est dur, chez Elseva; on a toujours fait bande à part. Nos jugements sont souvent rapides et irréversibles, surtout pour la vie mondaine. Mais pour Spencer M'Clintock, je suis allé souvent à cet endroit. Même si je déteste le m'as-tu-vu, je me suis fait voir à mon tour. Jusqu'à trouver M'Clintock. Parce qu'il en valait la peine.

Gisèle, à qui je l'ai presque aussitôt présenté, est tombée d'accord: il annonçait l'avenir, du moins le nôtre. En revenant avec elle du café, rue Saint-Laurent-des-arts, je lui ai conté en détails l'incendie, et l'ensevelissement de Karl. Dans le reflet des néons bigarrés d'une vitrine, le visage de Gisèle a durci.

— Tu m'en veux! ai-je dit.

Elle s'est détournée de moi, découpée par un faux crépuscule d'éclairage:

— C'est ton silence que je n'accepte pas. Elle t'a ému, je comprends, mais t'avais pas le droit de me cacher son... «trésor». Au fait, si ce sont vraiment des chefs-d'œuvre, qu'est-ce qu'ils font là, enfouis dans un sous-sol?

— Demande-le-lui, toi.

— Aussi bien essayer de ressusciter Karl...

— Je te l'ai dit? Elle veut qu'on reste. Ça aussi, c'est étrange... Pas comme elle.

— Eh bien, restons. Et tant pis pour elle!

Homme né homme, que n'attends-tu pour mieux lire ces autres qui sont femmes? Voyant le nuage de buée qu'était devenu son soupir, je l'ai attirée à moi.

— Attention. Ne m'embrasse surtout pas quand c'est elle qui te possède. Tu parles à Gisèle, vois-tu, une Gisèle bien présente... qui peut te haïr.

Très peu de temps après notre rencontre, elle m'avait suivi dans cette ville sans poser de questions. Elle pouvait bien se rebiffer maintenant, je ne la croyais plus. Sa main gantée restait les doigts ouverts, comme m'invitant à la prendre...

Il y a eu, dès ce soir-là, une toute nouvelle façon de l'aimer, cette femme nommée Gisèle. Avec le sérieux de l'enfance, et une pudeur que nous n'avions jamais connue. Pour la première fois depuis notre rencontre, on a vraiment parlé de nous-mêmes, de nos souvenirs, de tout ce qui n'était pas relié à notre travail ou aux moments partagés depuis notre arrivée. Avec ménagement. On est allés en amont. Totalement. Le monde nous a fait procéder à l'envers. Et on ne pourrait plus se regarder de la même façon. On se tiendrait en surface des corps aussi: on s'était mutuellement débusqués trop vite. Et notre entente deviendrait peu à peu plus délicate, plus durable, comme un long aria qui ne serait pas chanté à bout de voix, mais longuement célébré. C'était déjà annoncer le respect, pour la somme d'expériences et de sensibilités jusqu'alors mal comprises qu'était cet autre, pourtant aimé.

Nous nous sommes réveillés ensemble, le lendemain matin, empressés comme des explorateurs. Tout ce que j'ai porté à ma bouche ou donné à mes yeux, ce matin-là, me semblait nouveau et délicieux. La constatation venait enfin de se faire: Elseva n'est pas Gibraltar, elle est une créature humaine Nous lui avions donné toute la place, jusqu'à étouffer.

S'il peut arriver à un adulte de retrouver le courageux étonnement des débuts, devant des mystères qu'on compte arriver à résoudre, je crois que je l'ai éprouvé cet hiver-là, et qu'il m'en reste encore un goût tout frais, aujourd'hui. Gisèle ressentait quelque chose de très voisin: Elseva, la rivale, avait fait peau humaine. Les éléments du puzzle que nous vivions se préparaient à tomber en place.

Je revois Gisèle, penchée sur ses pages, qui lève soudainement vers moi un de ces regards...

Connaisseur. Suave. Un baume sous le derme. Devenu transparent, je m'approchais de ce qu'elle s'apprêtait à dire ou à ne pas dire, m'assoyais à coudes chercheurs pour la sentir travailler. Bien des fois, elle aussi venait à moi comme ça. Un matin, entre autres, elle a fait effraction dans la salle de bains, et s'est mise à regarder mon corps d'homme avec le plus vrai recueillement que j'aie jamais senti. L'insolite était à présent en nous.

C'était, je me souviens, le jour où l'on a trouvé un carreau brisé pour constater que Kathryn était disparue. Je soupçonnais Robert de quelque nouveau méfait, et j'ai signalé l'absente aux policiers. L'occasion tombait pile, je voulais bousculer Elseva pour la faire sortir de son repaire dont elle n'était pas remontée depuis plusieurs jours. Mais même la présence d'une voiture de police, les allées et venues constabulaires ne l'ont pas fait apparaître.

Ce même soir, j'ai trouvé dans la serre un Gabriel tout pâle, affalé dans la chaise d'Elseva; Bianca lui tendait un verre d'eau, en pleine sollicitude.

Depuis le matin, on était tous inquiets. L'absence prolongée d'Elseva, la disparition inexpliquée de Kathryn... On attendait, et Gabriel le faisait assez mal; mais il est vrai qu'il était plus proche de Kathryn que nous.

Bianca m'a pris à part. «Il est épileptique», m'a-t-elle confié. Et j'ai enfin compris pourquoi il m'avait toujours semblé un peu bizarre, vulnérable, comme marchant sous un risque d'orage.

Avec Gisèle, j'ai persuadé Gabriel d'aller s'épivarder à l'auberge où nous nous étions déjà réfugiés. Bianca acceptait de l'accompagner, pour veiller discrètement sur lui tout en continuant à travailler.

J'ai suivi Gabriel dans le studio, où il a lancé l'impression de ses partitions, puis je l'ai traîné dans sa chambre. Tandis que je remplissais ses malles, il errait dans un état de lointaine résignation, les cheveux sombres hérissés sur la nuque.

Dans le couloir, il m'a dit:

— Regarde, cette maison, on dirait qu'elle se décompose. Tout ce que je fais maintenant est mort. Elle perd sa vie...

J'évitais son regard. Je m'activais, enlevais les pattes de son synthétiseur, que je couvrais d'un vieux drap, etc. Je prenais le volant, avec Gisèle sur la banquette avant, qui se retournait de temps à autre pour le surveiller.

Il faisait froid à s'en geler les muqueuses. A notre arrivée à l'auberge à peu près déserte, on nous a préparé des chambres et, aidé d'un peu de musique douce, j'ai mis l'enquête en marche. J'encourageais Gabriel à me dire tout ce qu'il savait d'Elseva.

En fait, il ne savait à peu près rien, mais son intuition hors du commun lui avait permis de se rapprocher d'elle et d'être, de nous tous, le plus sensible à ses émotions.

Soyons précis: il avait peur. Et sa peur n'allait pas le quitter même à la campagne. Mais au moins, il était éloigné de toute symbiose elsévienne, et en respirait mieux. Comme naguère Gisèle. Et elle, Elseva, elle l'avait su.

L'après-midi suivant, Gisèle et moi étions de retour à Montréal. Devenue plus profonde, plus vaste, l'intrigue nous incitait, plus que jamais, à regagner la maison d'Elseva.

Aussitôt entrés, on a entendu la voix de Kathryn. Cristalline, têtue! On n'avait pas encore gagné le couloir que ça résonnait partout. On a aussitôt déposé nos petites valises et ouvert les oreilles sans se montrer, comme des espions sur le pas de la porte.

— ...t'as compris? Je te dois beaucoup, et je le sais. Mais je ne veux plus que tu m'aides. Je suis partie toute seule. Oublie Bobbie, il est mort et enterré pour moi. Je ne le vois plus; ça ne le concerne même pas. Ça fait longtemps que je voulais te dire que je ne suis pas d'accord. Moi, être au service de l'art avec un grand A, je n'y crois pas. Tu te trompes, Elseva. Tes idées datent; tes moyens aussi. Et puis moi, je vais te prouver que je peux y arriver, à ma façon, sans sacrifier rien à personne. Regarde-moi bien aller: j'vais peut-être manger pas mal de vache enragée, mais j'ai l'intention de danser jusqu'à 70 ans... et tant mieux si ça me rend enragée aussi!

Là, subitement, il y a eu un «clic»...

On est entrés dans sa grande salle, pour y surprendre Elseva avec un magnétophone. Elle avait maigri. Son doigt a enfoncé une touche qui a fait bondir la cassette de l'appareil.

— C'est ça, c'était une fugue! a dit Gisèle.

Et moi, intense:

— Depuis combien de temps est-ce qu'elle était ici?

— Depuis six ans. Il fallait qu'elle parte d'elle-même, qu'elle soit sûre de son geste, qu'elle me tue, quoi.

Elle a eu un balaiement des bras. Pour chasser quoi? ou qui? Elle n'a pas pu se lever sans s'appuyer au fauteuil!

— Vous tuer? a dit Gisèle. Vous y allez un peu fort!

— Non. Et elle a bien fait. Le germe est planté.

A la façon dont elle se tenait si étrangement devant nous, un peu raide et arrimée à un dossier, j'ai subitement imaginé Elseva en vieille institutrice d'hier, la main posée sur une canne, enfonçant redoutablement des graines de savoir dans de jeunes cerveaux grouillants. Et j'ai presque ri quand je l'ai vue dégager ses cheveux d'un geste parfaitement suave. Les sorcières et les vieilles filles n'ont pas la coquetterie aussi naturelle. J'en aurais oublié l'autre main, la gauche, crispée à en blanchir sur un dossier Louis Quinze...

Rose n'était pas là. Il n'y avait plus que nous, dans la maison. Tous trois debout dans la salle au plancher en damier, dernières pièces sur l'échiquier. Il faudrait que ça se joue ici, et en accéléré. Gabriel avait peut-être raison: cette maison qui avait été remplie de musique, de bruits, d'espoirs et de pas de danse menaçait de se vider, et de n'être plus qu'une maison.

Lentement, comme si elle s'allongeait vers le feu, la main d'Elseva s'est tendue vers quelque chose sur la table. J'ai vu trop tard de quoi il s'agissait. Il y a eu un grand bruit sourd, puis mille claquements et tintements dans le grondement d'une immense clameur à nos pieds. Le plancher en tremblait, je sentais des courants d'air monter le long de mon pantalon et, sous l'avance subite du son, j'avais les tympans douloureux des traumatisés.

Gisèle aussi s'était couvert la tête des mains; on se voyait tomber, on attendait que la maison s'écroule.

On restait là, sans oser bouger, crispés jusqu'à ce qu'on constate que de ce séisme, rien n'avait laissé de traces.

La main d'Elseva a lâché le détonateur pour s'abattre sur le bras du fauteuil. Elle est tombée assise d'un seul trait et a fermé des yeux qui faisaient mal à voir. Elle avait l'air désarticulée, subitement, et se trouvait posée sur son fauteuil comme une automate qu'on a oublié de remonter.

Laissant Gisèle avec elle, je me suis précipité au sous-sol où j'ai pu constater qu'une seule des deux sections gisait en décombres. De l'autre côté du couloir, le «trésor» d'Elseva, fermé à toute intrusion, restait indemne.

«Le laboratoire de Karl», a-t-elle dit quand, en remontant, je l'ai trouvée appuyée au mur, en équilibre précaire avec elle-même. Gisèle restait si décontenancée qu'elle ne lui avait même pas tendu la main. Puis on était deux à la forcer à se rasseoir, à lui maintenir à quatre mains les épaules. Je crois que c'est la première fois que j'ai eu vraiment peur, dans cette maison.

Elle s'est dégagée avec un hochement brutal: sortez!

Et là, elle s'est mise à... pleurer. Pas à la manière des autres, non. C'était sans larmes, sans voix: une douleur à ce point profonde qu'elle ne trouvait pas de porte de sortie. Comme un volcan qui refuse l'éruption. Avec les secousses d'un bouleversement abyssal et Elseva tellurique, inattaignable. Dévastée par sa propre force!

Tous les muscles de mon visage ont cédé, et Gisèle a porté une main à sa bouche, puis l'autre à son ventre, les joues inondées.

Petit à petit, cela s'est apaisé. Tout s'apaise, et l'énergie passe ailleurs. On a fini par retrouver assez d'emprise pour lui tendre la main. Ses yeux étaient lucides, mais blindés à en frémir. Etait-elle là encore? Je ne sais pas combien de temps s'est écoulé avant qu'on monte à la chambre de Kathryn, ça m'a semblé, comme une certaine nuit naguère, un pan d'éternité.

Sans parler, on l'a fait monter avec les précautions qu'on prend pour un enfant, un vieillard ou une porcelaine sans prix. Avec ce qu'il faut de douceur, de consternation et d'innocence.

Car Elseva est une espèce en voie de disparition. En la quittant, je me suis demandé ce qu'il était advenu, dans notre siècle, de l'émotion. A force de trouver pompière son expression intégrale, à force de la censurer, nous en avons perdu le don, même le ton, en nous persuadant qu'elle en deviendrait moins menaçante... Et voilà qu'elle risque de devenir taboue, comme cet odorat fin que possédaient nos lointains ancêtres pour s'orienter parmi ceux de leur espèce, et qu'on s'efforce aujourd'hui d'achever à coups de parfums, d'asepsie et de désodorisants. Pourquoi n'ai-je rencontré dans la vie qu'une Elseva, aussi totale et intègre dans la douleur que dans la joie? Aussi terriblement contagieuse? Et qui faut-il pour les aimer, ceux-là, qui sont plus denses, peut-être plus vrais que les autres? Ces titans, cette espèce-là, terrible et magnifique, à côté de laquelle on peut si facilement se sentir mort... ou morne.

Qui fallait-il pour les aimer, sinon nous?

Je suis descendu au sous-sol un peu plus tard, pour comprendre comment la maison avait pu encaisser le choc sans s'écrouler, sans même déranger le trésor à côté du labo. Je l'avais deviné: les piliers qui soutenaient la maison descendaient jusqu'à des dizaines de mètres dans le sol. Les étages étaient presque indépendants les uns des autres; toute secousse était dissipée en montant. J'ai vu les plans par la suite. Les charges étaient si bien réparties que peu de choses, venues d'en bas ou d'en haut, pouvaient mettre en péril la tenace arrogance de cette maison.

Mais dans ce qui subsistait du laboratoire de Karl, je n'ai rien trouvé de concluant. Il y avait un amas inextricable de débris de plastique, de métal et de verre, des restes si petits qu'ils semblaient presque avoir été pulvérisés.

Le trésor d'Elseva, de l'autre côté, me narguait. La porte en était imprenable.

Qu'adviendrait-il de cette maison qui cachait des chefs-d'œuvre, maintenant qu'elle se vidait? Et où était Piotr, qu'on n'avait pas vu depuis un certain temps?

Pour l'avenir, il restait à voir. Pour Piotr, Gisèle savait. Il était retourné «temporairement» en Russie, où l'on venait enfin de le découvrir.

— La statue est terminée?

— Je ne crois pas...
J'ai poussé un soupir de soulagement.

Quand Rose a fait tomber un verre le lendemain matin à la cuisine, le bruit a répercuté partout, et je me suis jeté en bas du lit. J'ai même bousculé Gisèle, avec l'espoir que la maison se remettrait à grouiller. Mais les seules choses qui nous attendaient en bas étaient quatre assiettes vides, inoccupées, qui gisaient au soleil sur la nappe bleu comme des poissons échoués. Rose avait mis tous les couverts... on n'était que deux.

Il était encore plus étrange de savoir Elseva captive dans la chambre de Kathryn, où elle était encore! Quand on est montés, elle semblait un peu remise. Je me doutais qu'elle avait dû préparer seule cette destruction, qu'elle avait dû se donner un mal fou pour sélectionner, trier et déplacer ce qu'il avait contenu avant d'effacer de la terre le laboratoire où Karl avait travaillé. Mais je voulais surtout savoir à quoi il avait travaillé.

— Des travaux de recherche en biologie, purement expérimentaux, a-t-elle répondu sans détours.

— Y avait-il des animaux... des... choses en vie dans ce laboratoire?

— Oui, mais peu.

— Et tu les as *éliminées?*

— Je les ai endormies, puis incinérées avant l'explosion. Sans douleur.

— Des rongeurs, je suppose.

— Surtout, oui.

— Et Karl avait prévu ça?

— Crois-tu qu'on les aurait laissés mourir de faim?

Elle regardait le petit déjeuner que je lui avais monté, n'y touchait pas. A force d'insister, on a appris qu'elle n'avait ni dormi ni mangé depuis la mort de Karl! Ou bien elle avait abattu une tâche énorme, ou bien sa propre survie lui devenait indifférente...

— Mais pourquoi as-tu tout éliminé?

— Garder tout ça était inutile. Nul autre que lui n'aurait su...

— Inutile, mais surtout dangereux, peut-être?

— Tais-toi parce que...

J'ai alors compris que je n'avais pas de talent pour les enquêtes. Au lieu d'éclaircir les choses, je la repoussais vers son abîme. Elle m'avait demandé de trouver des manœuvres pour nettoyer l'ancien laboratoire. Je les ai surveillés ce jour-là et quand tout a été vidé et propre, j'ai pris le large vers le chantier pour me soigner un peu l'ego. Là au moins, ça se déroulait clairement, simplement et logiquement. Comme je le voulais.

Je laisse la parole à Gisèle, qui tenait à l'époque un journal très serré. Voici ce qu'on peut y lire, cette journée-là.

Il me semble que j'ai rêvé. Peut-on vraiment être au chevet de quelqu'un comme Elseva? Caméra en travelling sur une chambre qui ne lui convient pas. Presque des meubles d'enfant. Paul vient de partir. Debout, il reste moi, et, femme, j'insiste pour qu'elle mange... parce qu'il va bientôt pousser des glaçons sur notre offrande alimentaire. Soyons honnête, j'ai besoin qu'elle mange. Je lui propose (faisant mine de rire) de la nourrir de force. Elle ne me trouve pas drôle. Comme Paul, j'avais décidé de m'éclipser — il déteste les chevets autant que moi — quand elle me demande où j'en suis avec le scénario.

Gros plan sur mon visage, flatté. Il ne faut pas me demander ça. Je sors de la chambre, passe le couloir sans le voir, ramène mon manuscrit comme le Graal.

Bon, je ne lis pas très bien à voix haute. Petite musique derrière, genre les Gnossiennes d'Eric Satie, jolie sans enterrer les paroles. Faussement ferme, je m'exécute, je lis en pensant qu'elle m'écoute. La caméra se pose sur un visage d'odalisque couché, qui ne laisse rien passer, tellement vide qu'on devine... une mort fraîche, à apprivoiser. Pas de message cryptique, pas d'injonction cinglante, elle ne dit rien. Après un long monologue peut-être monotone, c'est à voir, un bras se tend, sorti du lit — on m'arrête. De toute façon, je ne suis plus du tout convaincue, comme lectrice. La femme couchée tourne son visage vers le mur. Sous-titré, ça donnerait: "Remettons ça à plus tard, veux-tu?".

La musique de fond change pour du silence blanc. C'est trop poli pour Elle. Je reste. Je la regarde bien, et je me remets à lire. Mais cette fois, avec beaucoup moins de pudeur. Le moment de la vraie offrande arrive. La caméra nous prend depuis le plafond.

La caméra descend doucement à notre niveau. Gros plan sur des mains, les miennes, qui commencent à s'agiter, sur mon manuscrit par terre, abandonné. Je me laisse aller à lui décrire les lieux de tournage en détails, à lui expliquer mes idées, à lui faire parler les personnages. Ma voix off, et son visage qui prend vie. Plus distante, la caméra, quand je mime mes créatures comme je peux — pour rire un peu. Fondu-enchaîné sur les lieux que j'envisage: une rue perdue dans un quartier industriel, des arbres sous le vent — non!, pas Bergman, quand même! Retour à la chambre. Crescendo d'une marche militaire en pianissimo, à peine reconnaissable: je m'emporte, je décris les bouts de mon film que je n'ai pas encore imaginés moi-même. Je crée à froid, devant un lit, dans cette chambre. Pas si froid que ça, finalement. Ma voix sur cette musique, et une vue prolongée sur la femme étendue qui peu à peu se redresse, la tête appuyée sur la paume, et qui sourit.

Il faut sentir le temps couler par un plan quelconque. Dehors, peut-être, il a plu et ne pleut plus, ou un orage, peu importe. Une heure est passée. Soudain, c'est la panne, je ne parle plus. La caméra suit mon regard, sur mes mains qui cherchent quelque chose, navrées de ne rien trouver. Sur le tissu du lit, sur le réveille-matin, la patère, n'importe quoi. On sent l'impasse. M., mon personnage principal, subit une transformation que je ne sais plus comment contrôler. J'avais prévu le problème, mais je viens d'avorter. Je le lui dis à Elle, dont on voit le sourire s'ombrer, façon Mona Lisa (en gros plan, bien entendu). "Sans ces transformations...", elle fait. Et je rougis.

Je dis sans la regarder: "Je sais. Je suis placée pour le savoir..."

— De la reconnaissance? (On l'entend le murmurer.)

— On ne peut rien vous cacher.

— Pas trop. On ne donne rien pour rien. On ne prend rien pour rien, non plus. Je ne suis pas désintéressée! Malgré ce que Kathryn peut croire...

On me voit me questionner là-dessus. Ma voix off, peut-être, qui bredouille "J'espère". Ici, on pourrait panoramiquer le long du couloir, des chambres de l'étage. Retour à la chambre: elle est assise sur le lit, animée, et me pose des questions sur mes personnages. Avec le regard droit, bien à niveau, des interlocuteurs un peu devins. (Yeux en gros plan, donc.) Ou, encore mieux: plan extrêmement rapproché de l'arête de son nez, de la peau un peu bleuie entre nez et paupières, du creux de la joue, de ces coins de traits où se tapit une grande sensibilité d'artiste. Retour au plan d'ensemble, à son corps intransigeant. Par l'éclairage, le rendre insoutenablement opaque.

Caméra sur Moi, en silence, ou sur un miroir vide, c'est à voir. Mais on revient à Elle, tout de suite. Sur son visage soudain ému qui dit: «L'art crée, il fait arriver des choses». Et entre nous, autour de nous, des ombres de plus en plus précises se promènent. Ce sont mes personnages, en train de prendre substance et vie. Qu'on regarde passer sans s'étonner. Alors qu'ils viennent de vraiment naître dans cette chambre! Que le film est presque déjà filmé!

La musique monte: à la porte, mon personnage principal, M. Mon visage est surpris, je ne l'avais jamais vue encore! Et bientôt, elle existe en chair et en os dans les couloirs, descend l'escalier. Près de nous, mais dans une dimension à elle...

Subitement, sans l'annoncer, demi-plan sur le buste d'Elseva. Visage tiré, thorax creux, comme vidés de quelque chose. Voir M. qui glisse dans la chambre, comme accouchée par elle: son dos comme sortant du thorax d'Elseva. (Essayer, en tout cas, même si c'est dur à faire passer, à faire comprendre...)

Je m'avance un peu sur ma chaise, plan extrêmement rapproché sur mes sourcils froncés. Inquiétude. Elseva me lit — son sourire presque pudique. Elle passe les mains sur son visage, devient vague comme si j'avais surpris un accroc à son bas. Se lève et va vers le miroir, puis me fait signe de monter avec elle au troisième.

Longue ascension comme vers un sommet. Elle, très, très lente, ses membres sont mous, son souffle court. Plan éloigné d'en bas: elle essaie de ne pas trop s'accrocher à mon bras; l'os de son coude, qui hésite.

Ouf! Changement de décor. Sa salle d'eau à Elle. Clin d'œil sybaritique sur une urne romaine (accessoire à ajouter) posée près du bain. Je regarde la chose, grand miroir d'eau calme, et Elle disparaît. Caméra sur une porte blanche fermée; sa voix, qui me prie civilement de l'attendre.

Mon visage en gros plan, qui demande sans sourciller:

— Qui va s'occuper de vous maintenant que Karl...? (Je ferme les yeux subitement, m'attendant au pire...)

La porte entre nous s'ouvre. Sa voix, changée, incrédule:

— Vous dites bien «s'occuper» de moi?

Plan d'ensemble sur Elle, assise les bras ballants dans son grand placard, masque tombé.

De l'autre pièce, je dis: "Oui... On vous a vus monter, une nuit. Il vous portait comme une enfant."

Panoramique sur les innombrables vêtements là, autour d'elle.

Gros plan: sa tête entre ses mains, qu'elle hoche.

Caméra sur mes pieds en chaussettes, qui s'avancent. Elle me prend la main. Retour à la baignoire. Sa tête qui dépasse de l'eau. Moi, penchée sur l'eau, deux doigts dedans. Son visage tiré dit:

— Ne t'en fais pas. Tout ira mieux dans un moment. Viens, si tu veux...

— Elle est chaude...

— Mais avant, s'il te plaît, fais glisser le pan de mur, là. Dans la porte du petit frigo, il y a des flacons. Apporte-m'en un, tu veux?

Le mur tourne sur lui-même sur une musique de Tchaïkovsky (peut-être La Dame de Pique). Stase en plan immobile sur le mur. Puis plan rapproché sur mon derrière, tandis que je fouille dans le frigo.

— Tu les vois, ils ont une couleur opalescente, laiteuse?

Petit panoramique sur les dizaines de flacons qui s'alignent dans le frigo. J'en saisis un, me retourne victorieuse, lui apporte. Flacon vu en premier plan, comme flottant sur le fond de mon tricot noir.

Plan d'ensemble: sa main qui le prend et sa voix, disant que c'est la partie miracle de son régime. Puis, son expression de sphynx amusé.

Mon rire, qui résonne sur l'eau prise en rapproché. La caméra lève vers son visage. Elle, elle ne rit pas.

Son visage disparaît sous l'eau. J'attends qu'elle en ressorte au moins jusqu'aux épaules. Je suis trempée jusqu'aux bretelles de mon Lejaby, pull, pantalon et chaussettes laissés pour morts près de l'urne. Que c'est bon, cette chaleur...

Sa main qui se pose sur mon bras. Je glisse dans l'eau à petites vagues douces, vers Elle. On s'appuie les nuques sur le bord rond, bras crochetés ensemble, le soleil en flaques humides sur nos visages. Gros plan sur des goutelettes captives de nos épaules, de nos salières, tandis que me gardant près d'elle, elle me parle. De réalisateurs, qui s'intéresseraient à mon scénario. Je plane. Mon corps en vol Chagall, faisant des arabesques au-dessus de l'eau.

Fondu sur nos gorges déployées sur le bord, côte à côte, nos yeux au plafond. Quatre rangées de cils, supputant...

Elseva, chère et mystère de femme...»

Gisèle avec son journal, moi avec mon récit, nous n'étions pas au bout de nos surprises, même si le mystère Elseva se dissipait un peu.

Gisèle ne l'avait pas quittée depuis trois heures qu'Elseva était en bas, dans la salle à manger, à nous attendre.

Transformée complètement.

Elle avait rajeuni de dix ans, était subitement comme je l'avais connue la première fois: un visage plein d'ingénue radieuse. Incontournable comme celui d'une speakerine à la télé, un sourire ambigu au coin des lèvres.

J'en avais marre de ses jeux.

— Bon, tout va à merveille! ai-je déclaré. Tant mieux. Je m'en vais, moi. J'ai assez servi, ici!

Je suis monté faire mes valises, et n'avais pas sorti deux chemises qu'elle posait une main sur le montant du lit.

— Tu ne veux pas attendre l'artiste que tu aimes le plus? a-t-elle lancé.

— Quel...?

Je n'avais pas terminé ma question qu'elle descendait.

Dévalant l'escalier, j'ai atterri au rez-de-chaussée juste à temps pour la voir enfiler un manteau.

Un manteau?

Je l'ai suivie dans la nuit...

Le lendemain, M'Clintock était avec Elseva dans l'atelier du rez-de-chaussée. Ils étudiaient la salle comme si un crime allait s'y commettre. Déjà, les sculptures de Piotr étaient dans de grands caissons de transport, prêtes à partir pour la Russie. Même la troisième, au visage inachevé... J'étais content qu'elle disparaisse, celle-là.

— Qu'est-ce que je fais de la camionnette? demandait M'Clintock avec son accent d'anglophone. Son français était patiné plus qu'articulé, il escamotait des syllabes, glissait sur des terminaisons incertaines de genre. J'adorais l'entendre faire ainsi le désabusé avec une langue qui avait dû lui donner du fil à retordre...

— *Sell it*, disait Elseva.

— Qu'est-ce qu'il fait ici? j'ai demandé.

— Il y appartient, a-t-elle dit.

Elle avait revieilli, remaigri, cou et visage plus fins et affûtés que jamais. Un petit tremblement lui venait parfois comme un long frisson, et sa voix était rauque. Et comme pour ne se laisser aucune échappatoire, elle avançait penchée par devant, le corps comme plaqué par la seule résistance de l'air. Une mince chose, à tout prendre.

M'Clintock m'a pris à part:

— J'ai des mauvaises nouvelles pour toi...

— Vas-y, assène.

— Ton projet de musée, là...

— D'art contemporain?

— Oui... Il est... refusé. Ça a été donné à un architecte... amérindien ou... latino, je ne sais plus...

M'Clintock connaissait quelqu'un à la fondation. Au moins, je n'aurais pas à attendre la lettre officielle, je pourrais passer à autre chose. De toute façon, je m'y étais attendu. L'idée de faire original n'est souvent pas payante. Surtout quand s'annonce un ralentissement économique... Mais c'était plus fort que moi: j'avais conçu une suite de petites structures comme en chapelet éclaté... sous une coupole! Imaginez!

En fait, j'avais déjà autre chose en tête...

La vie, chez Elseva, continuait malgré tout.

M'Clintock, sous ses lunettes épaisses, essayait de rester neutre. Heureusement, il parlait peu. Pas même de ce travail inouï qu'il faisait. Il avait la frugalité dans le corps, celui-là. Mais comme pour s'en cacher, s'en maudire, s'habillait de n'importe quoi d'incongru, pourvu que ça n'aille pas ensemble. Comme un pantalon de zouave sous une chemise de banquier. Et ses lunettes de corne qui ne convenaient pas à son nez mince et droit en glissaient sans cesse! Sacré M'Clintock. Il a passé ses mains tachées dans des cheveux drus en brosse, et annoncé:

— Mon installation, je vais la faire ici.

Evidemment, puisqu'elle ne serait pas dans mon musée...

— Puis là, il faut que je travaille, a-t-il fait comme conclusion.

Finalement, M'Clintock n'a jamais vendu sa camionnette bleue. On la voyait stationnée devant la maison: elle démarrait quand il partait se chercher un hamburger, revenait quand il s'enfermait dans l'atelier bourlinguait le soir, dans les rues de Montréal, la Saint-Laurent, surtout. Il ne voulait voir personne dans l'atelier, même en l'absence de la camionnette. Il fermait tout à clé. Son installation de capsule spatio-temporelle, c'était son secret, jalousement gardé.

Mon immeuble près du fleuve était maintenant achevé. On en avait déjà loué plusieurs étages. J'avais à présent pas mal de temps devant moi, et je me promenais. Quand il faisait froid à fendre l'asphalte, je descendais dans les couloirs souterrains de la ville, sous la place Ville-Marie ou la place Bonaventure. C'était sombre, peuplé et chaud. Comme ces cavernes de l'ère glaciaire, de buée humaine habitées.

Mais! De temps à autre, je me faisais des heures glorieuses, enfermé dans mon bureau pour le seul et sidérant plaisir de créer une ville à moi, ville d'utopie, que je bâtissais petit à petit sur papier. Très différente de celle de Le Corbusier. Paulesque. Le cadre parfait aux rapports humains, *quand* on les veut et *comme* on les veut.

J'avais commencé des années auparavant, en Europe, et j'y revenais entre deux contrats. Ma drogue suprême, cette ville... Goûtée à portes closes.

Un matin que j'y m'y adonnais, certain d'être seul dans mon bureau bien fermé, quelqu'un est venu se pencher sur mon épaule. Mèche noire: Elseva. En sursautant, mon crayon s'est levé comme une dague.

Elle violait mes plans secrets du haut de ses yeux à moitié fermés.

— Quand et où? a-t-elle dit.

— Nulle part, jamais!

Elle a tout ramassé et elle est partie.

J'ai crié: «Tu n'as pas le droit!»

— Toi non plus! a-t-elle répondu en claquant la porte.

Puis, un petit matin, elle est venue dans notre chambre. Je dormais sur le canapé, Gisèle sur le lit. Chacun de son côté, on avait travaillé presque toute la nuit. Elseva nous regardait dormir. J'ai ouvert un œil à moitié: elle bordait Gisèle! Et de sa gorge, de ses lèvres, m'adressait un reproche silencieux.

Je l'ai suivie dans le couloir, pas assez éveillé pour réagir autrement.

— Et votre amour, et vos instincts? Avoir quelqu'un qu'on aime, là, tout près. Ne pas profiter à chaque instant de son parfum, de sa peau! a-t-elle proféré avec des pupilles incandescentes de pythie. Et ça crachait le désarroi.

— Un instant! ai-je dit assez brutalement en lui crochetant le bras.

Il me faut un certain temps avant d'être humain, le matin...

— Toi, tu n'as jamais aimé, Elseva.

Elle m'a fixé droit sur la bouche.

— Ne t'aventure pas sur ce terrain... Aimer comme ça, non!

— Pour une fois, Elseva, tu ne sais pas de quoi tu parles. Y'a donc jamais eu personne qui...?

— Le temps passe, et tu n'auras pas toujours Gisèle à toi! Le sais-tu, Paul?

— Je ne la veux pas «à moi», Elseva.

J'ai essayé de lui décliner les choses de la vie, ces choses qui, justement, se glissent entre les amants avec le temps. Des distances qu'il faut prendre pour aviver la faim, des mystères qui rapprochent, des silences qui enfantent des tempêtes de tendresse. Peut-on aimer, si l'on n'est pas singulier dans son corps, si trop est partagé? Peut-on aimer ainsi longtemps? Mais je n'avais ni les mots, ni la patience d'apprendre quoi que ce soit à Elseva, encore moins sa terrible lucidité d'insomniaque à l'aube.

Après un assez long silence, elle a dit: «Viens dans le bureau».

Sur ma table de travail, il y avait une maquette, celle de «ma ville», fidèlement montée selon mes premiers dessins. Penchée sur cette maquette, il y avait une femme en plein état d'exaltation.

— Regarde!

Elle m'a laissé examiner la... chose. Horrible à voir.

— C'est une cacophonie!

— Oui, puisque tu faisais comme si elle ne devait jamais exister. Tu ne menais pas tes idées à bout! Avoue. Tiens, ici, par exemple, tu as changé d'idée avant même d'avoir...

— Ça suffit! Garde tes leçons pour toi!

— Ecoute-moi! Ta ville pourrait tout changer! Elle pourrait être un... elle serait belle! Et tu le sais! Mais tu n'oses pas... J'ai voulu que tu voies, que tu la bâtisses. Avec ton talent, tu n'as pas le droit de manquer de courage!

J'ai éclaté. J'ai levé le bras sur cette maquette dont l'aspect me terrifiait. En quelques mouvements, je l'ai mise en pièces. Les morceaux en volaient comme des os. Boucherie totale. Elseva s'est agrippée au bureau. Mais elle n'a pas cherché à se protéger.

Gisèle est entrée comme je me suis arrêté, alors que devant moi, Elseva regardait les débris comme un enfant mort. Toujours agrippés, ses bras s'arrondissaient, presque doux...

— Sors, j'ai dit à Gisèle. Ne te mêle pas de ça.

Elle m'a regardé un long coup, a serré les lévres, refermé la porte.

— Quand et où? a redemandé Elseva, la tête détournée.

— Tais-toi!

— Cette ville, il faut que tu t'y attables maintenant. Maintenant, Paul!

— Tu es sourde? Je ne veux pas la voir exister! C'est inutile. Où veux-tu que je la mette dans le merdier!

— Quoi?

— Dans le merdier, oui, parce que c'est un cloaque, ce foutu monde! C'est pour ça qu'elle est comme ça, ma ville!

— Toi? a-t-elle crié en tremblant. Toi aussi?

Et elle m'a envoyé une gifle dont je me souviendrai toute ma vie... Avec la force des furies.

Le visage brûlant, je lui ai empoigné les mains pour aller la plaquer contre le mur.

Ses yeux étaient rivés droit dans les miens, elle m'affrontait sans même chercher à se débattre. Incrédule jusqu'en ses profondeurs.

— Répète ce que tu viens de dire, Paul?

Et presque calme, à paroles refroidies, je me suis exécuté. Dur de dépit.

— Va-t'en! a-t-elle proféré.

Sans que je les sente, ses ongles étaient entrés dans mes bras, je l'ai libérée en y laissant ma peau. De lunures j'étais troué, là, que je fixais avec une étrange satisfaction.

— Si ce monde est un cloaque, tu y appartiens...

Avant de partir, je me suis retourné d'un bloc. Elle tremblait, appuyée de guingois au mur. Pour la seule fois de ma vie, j'ai vu Elseva avec les yeux morts. Dans la pose de quelqu'un qui voit approcher son spectre.

J'ai détalé par effraction, en nous haïssant tous. Quelque chose en moi venait de se rompre. Avec un compas, j'ai gravé «Cherche pas, attends» sur la commode de notre chambre. Je ne pouvais même pas imaginer l'air de Gisèle quand elle y mettrait les yeux. Je ne pouvais même pas imaginer Gisèle...

J'ai passé des jours et des jours dans un hôtel drabe du centre-ville où, épuisé d'avoir rôdé, je revenais ramper jusqu'au lit, parfaitement ivre. J'y découvrirais, dans un moment de lucidité, ce qu'était vraiment l'horreur: un être indifférent aux décombres de ses propres rêves.

Puis, l'horreur s'est faite angoisse: ma ville, ma ville! Elseva me l'avait violée. Et, plutôt que de la sauver, de la garder en vie, et de m'enfuir avec, je l'avais anéantie! J'avais laissé un viol la tuer! Pauvre imbécile: donner un tel ascendant à Elseva, simple créature humaine. Double humiliation.

Ma ville! J'en voyais les restes maculer la grise neige durcie: moignons d'espoirs, enfants mort-nés. Un sang d'immeubles, couleur brun et gris en sales déjections fumant sur la glace. On ne «reprend» pas ce qui est brisé, sinon pour créer des fantômes. Toutes les couleurs de la vie gisaient à mes pieds, ses formes de moins en moins visibles à mesure que l'alcool m'engourdissait. Mais mes viscères, encore, criaient. Le cloaque, ce cloaque était en moi...

Je ne m'attarderai pas sur ces moments les plus terribles de ma vie. Je sais que je n'arrivais plus au bout des jours et qu'un soir, je me suis réveillé le front dans la sloche au fond d'une ruelle sale. A sentir la pisse. Une semaine s'est éternisée sans que je ne parle à personne, encore moins à ce déchet de moi-même, qui traînait sous mars aussi tenace que le froid, aussi mort que la croûte de neige dure sur la ville. Hanté, dégoûté par le vide que j'étais finalement devenu.

Un matin particulièrement sombre, j'ai eu l'instinct de fuir, de me fuir. Dans les rues de la ville, le vent hurlait jusque dans les veines. Engouffré chez Hertz, sous les néons, il m'a pris une idée: louer une voiture. Aussitôt, c'était à vitesse d'enfer vers l'autoroute. Carrosserie rutilante, mécanique stridente et passager lancés ensemble, un seul vecteur de vitesse, une seule intention: ne plus être là. Si les agents ne nous avaient pas arrêtés, on se serait écrasés contre le premier pylône de viaduc, métal et membres confondus.

Mais alors, j'ai constaté que je vivrais. Et j'ai subi les remarques ironiques des agents, tendu la paume vers la contravention qui frappe. Puis, j'ai compris que j'avais pris la direction des Laurentides. Plus une goutte d'alcool dans les veines. Qui se remplissaient de sang-froid.

La petite route de Morin Heights était tranquille, en ce temps-là. Je regardais malgré moi dans le rétroviseur pour voir si un nuage me suivait.

Du hall de l'auberge, j'ai fait envoyer un télégramme, le premier. Pour laisser savoir à Gisèle seule où j'étais. J'émergeais.

Je suis allé dans le bois, où la neige était encore blanche, et j'ai lâché mes larmes loin de la civilisation. J'ai pissé de ce Moi déshydraté sur l'écorce, j'ai badigeonné ce visage de brune gadoue et j'ai haï le temps détruit. Jusqu'à fouetter l'air de mes bras en moulin.

Enfin, j'ai retrouvé l'auberge, et je suis parti vers la chambre de Gabriel, pour voir s'il y était toujours. Je risquais d'y être aussi.

Il était seul, au clavier. Sa surprise passée, il m'a commandé du café, que j'ai vidé d'un trait en lapant le sucre. Il me voyait la barbe longue, la peau barbouillée, les yeux vidés trop creux. Chez lui, tout semblait aller mieux. «Ça avance», a-t-il dit sobrement en parlant de son travail. Il m'a fait une drôle d'accolade à bout de bras, et m'a finalement demandé ce qui diable avait pu m'arriver. Je ne pouvais pas en parler encore. J'ai préféré brutaliser une cigarette.

Il s'est rassis à son clavier pour me jouer sa musique et, pendant une bonne heure, j'ai réussi à oublier mon double, le survenant.

Il y avait des arbres, des sapins vus des fenêtres, pas d'immeubles. Le soleil partait en laissant des strates timides de couleur, souvenez-vous de moi. Et j'ai dû enfin me mettre au neutre, respirer à plein poumons, n'entendre plus que la musique de Gabriel, laisser enfin le jour aller.

Il jouait encore quand Bianca est revenue de la ville, moi endormi de biais sur le lit, les bouts de bottes qui pointaient. Le silence du clavier m'a réveillé. Bianca disait, au-dessus de moi: «mon pauvre homme». Il y a eu le son du clocher de Saint-Sauveur (une mort?), et je me suis levé comme un seul homme.

Bianca avait fait du thé, insistait pour que je reste avec eux. J'ai dû me raconter. Bianca me demandait à voix ronde des détails, pour conclure:

— Comptez-vous chanceux. Du temps qu'elle était chez mon père, Elseva vous aurait éborgné. Elle vous aurait fait une scène qui ferait encore parler Venise.

On s'est retournés subitement vers elle, Gabriel et moi.

— Elle a habité chez ton père? Et tu n'en parlais pas?

J'imaginais Venise, belle et décadente à la fois, et je me dis que cette ville d'obscurités troubles et d'insolentes lumières convenait bien à Elseva...

— Mais je pensais que vous le saviez! Elle a passé quelque temps avec nous, pendant les vacances. J'étais encore une petite fille. Elle arrivait d'un collège, en Suisse, et attendait que Karl vienne la prendre.

— Karl? Donc...

— Elle n'a jamais eu de parents?

— *Certo che si* ! Oui mais sa mère était décédée — ou disparue — depuis longtemps, je crois. Et son père venait de mourir. Papa était un bon ami de Karl. Il nous avait demandé de la prendre quelques semaines avec nous...

De sa voix coloratur, Bianca nous a donné ce soir-là un récit a cappella digne du plus édifiant des opéras.

Il faut imaginer Elseva encore très jeune. Et Karl comme son protecteur dans les années 70. Il ne faut pas oublier le tissu social dc l'époque, car tout survient à un point tournant de l'histoire de cette fin de siècle. Et si nous avons un conscient collectif, ce récit y est intimement mêlé.

Karl faisait alors figure de scientifique respecté, membre d'une confrérie informelle dont le point de rencontre était le Danieli de Venise. Leur seul lien directeur, leur messager, en somme, était Alberto Sartone, le père de Bianca. Sartone était éthicien estimé, conférencier malgré lui et professeur à l'Université de Padoue. Un penseur capital au groupe.

Karl, dans la cinquantaine, apparaît comme un bon vivant, vachement inspiré et un peu iconoclaste. Il se prépare à délaisser ses postes bien vus au sein de multinationales, de conseils scientifiques et d'organismes de recherche pour se lancer dans des travaux privés, à la limite dangereux et, à toutes fins pratiques, sans but garanti à court terme. Juste avant qu'il ne prenne sa retraite officielle, son ami le professeur Sartone lui téléphone en Californie pour l'aviser de la mort d'un de leurs confrères, hématologue. Qui laisse une fille encore adolescente dont il a expressément confié la garde à Karl, son parrain officieux. Karl prend alors l'avion pour la Suisse, annonce la nouvelle de la mort de son père à Elseva, passe quelques semaines avec elle, et la laisse à l'école privée pour mieux préparer l'avenir, en accéléré. C'est qu'il a des projets pour elle.

Elseva peut-elle être autrement qu'une jeune fille inhabituelle, à cette époque? Solitaire et farouchement indépendante depuis longtemps, elle dévore tout ce que l'école a à lui apprendre. Et en recrache. On la surveille de près au collège, parce qu'elle s'ennuie, et que sa sensualité, sans parler de son intensité, font déjà des remous autour d'elle. Elève rebelle, elle n'a pas la gentillesse ni la clarté limpide des jolis minois à la mode d'alors, ni la paresseuse indifférence. Douée pour les arts, méprisant les sports, fascinée par le domaine des idées pures et de la science, elle est irascible, arrogante. On prie Karl de la retirer. Les vacances estivales arrivent et Karl, qui est accaparé par un symposium Est-Ouest, dépêche un télégramme à son ami Sartone. Dorénavant, Elseva suivra Karl; en attendant, elle passera une partie de l'été chez Sartone à Venise.

C'est à ce moment que Bianca fait la rencontre d'Elseva, qu'elle admire et craint aussitôt vue. Après quelques mois, Karl décide de la faire passer tout de suite à l'université et, entre chaque trimestre, de l'emmener partout où il va. Rien de vaguement libidineux ne semble survenir entre Karl et Elseva plus jeunes: ils sont séduits l'un par l'autre, leur connivence plus inusitée que celle de la chair. Plus mentale, je dirais, d'après ce que j'en ai compris.

D'ailleurs, Karl mord déjà assez dans la vie: il a des relations fugaces et succulentes avec des femmes aux quatre coins du monde. Elseva n'en sera pas tout de suite le témoin, mais elle idéalisera à leur exemple une forme d'amour indissociable de la liberté. A ce seul inconvénient près qu'elle, elle restera en place...

Plutôt que de la couver, Karl l'expose. Aux grands esprits qu'il fréquente, aux nombreux originaux qu'il connaît. Elle rêve, Elseva, attendant d'être la légataire d'une drôle de mission qui lui sera confiée à la fin des années 70. Car un document vient déchirer le tissu psychique de l'époque: un manifeste nommé Rapport du Club de Rome, commis en 1974 par un groupe de penseurs et d'industriels aisés. Qui veulent mordicus faire le Bien-dans-le-monde. Or, comme on dit en anglais contemporain depuis: *the helping hand strikes again*. Voilà que la main secourable frappe encore... Ce rapport est d'une ambition et d'une portée telles qu'il ouvre la voie à la démagogie.

Mais sans lui, Elseva n'aurait peut-être jamais eu maison.

Dans la veine du retour à la terre, le Club de Rome, sous des dehors altruistes et bien pensants, laisse entendre qu'il faut préserver la planète, envers et contre l'humain. En 1974, le professeur Sartone flaire déjà les retombées du rapport, qui chambouleront par la suite à peu près tout, sans qu'on en isole facilement la cause. La cause en est la conscience collective coupable de l'époque, que ce rapport jugé prestigieux cristallise, et officialise à tous vents. Frein à la technologie, conservation radicale de l'énergie, réduction de la population: ce sont les fins qu'il propose, sans quoi il augure la fin du monde. Il a naturellement l'effet d'une bombe sitôt publié.

Sartone, Karl et leur collègues le lisent entre les lignes et frémissent. Laisser s'affamer le tiers-monde et crever femmes et enfants en cas de conflit armé pour réduire «naturellement» l'explosion de la population: voilà ce qu'ils y voient, eux. Ils y présagent un retour à la crasse médiévale, par l'imposition d'une austérité et d'une pauvreté universelles. C'est jouer à dieu, achever toute confiance de l'homme en lui-même. Pis, ils devinent que si l'humanité prend les recommandations de ces jésuites nouvelle vague au sérieux, elle va bientôt vivre une dépression nerveuse massive, ou une immense névrose universelle.

Et ces bons vivants, mais ces mal-pensants de l'époque ont été des visionnaires. Le discours à la mode se met doucement à oublier l'Homme pour la chlorophylle. A envier les société primitives. A endurer qu'on maltraite des enfants, mais pas des phoques. Le mouvement hippie l'avait lancée, cette envie de l'enfance pour tous, cette haine du progrès et de l'homme industrieux, mais voilà qu'elle prend des dimensions de religion globale. Gaïa, la planète, remplace le Dieu des siècles précédents ou la Collectivité post-marxiste, dans le discours politique. Partout naissent des factions écolo-fascistes qui se prennent pour des Robin des bois modernes et deviennent en certains lieux des partis admirés. Pas par les plantes, ni par les animaux, mais par les hommes et femmes! Ça n'a plus de logique: on se hait, du fait d'être intelligent, capable d'influer sur la nature. Alors qu'il suffirait de doser, de corriger un peu et de prévoir, d'utiliser de nouveaux moyens, à l'heure même où mille formes d'énergie plus douces sont d'ores et déjà inventées.

Mais assez prêché, disons qu'Elseva est prise au centre de ce maëlstrom des valeurs. Parce qu'on n'est jamais sans responsabilité, quand on fraie avec des intellectuels.

En réaction contre ce rapport et ce qu'il représente, les compères penseurs de Karl et Sartone fondent un soir ce qu'ils appellent le «Club de Venise», lors d'un dîner houleux chez les Sartone. Où Bianca écoute aux portes. C'est une machination qu'ils proposent, voulant ressusciter l'espoir et la confiance de l'humain en lui-même. Sous cet ironique patronyme, ils créent une fondation, avec l'aide de quelques richissimes entrepreneurs, et décident d'encourager, dorénavant, tous les jeunes gens intelligents qu'ils rencontreront et qui seront susceptibles de faire rayonner l'espoir, par leur action, ou par leur pensée, dans un monde de plus en plus bouleversé qui est tout prêt à se retourner sur sa couche pour vomir de dépit. Il faut se mettre à penser que demain est possible, et peut-être même meilleur. Ils encourageront la créativité intelligente, seule capable de régler les gigantesques problèmes qui commencent à germer dans la confusion générale. Ils luttent du côté de l'humanisme, contre l'éclatement de l'identité humaine. Rien que ça!

Cinq ans plus tard, vers 1980, ces hommes ont vieilli, mais ont déjà organisé leur relève. Ils n'ont jamais voulu jouer à Dieu. Leur action se fait sentir discrètement. Elle ne découle pas d'une structure organisée, mais d'une forme très libre, très décentralisée de mécénat privé. Les descendants idéologiques de ces hommes seront des conspirateurs jouissifs, plus que des apôtres. Ce ne sont pas des personnages publics, et ils avancent, souvent isolés les uns des autres. Elseva est des leurs.

En 1979, l'année où je la rencontre, Elseva vient de s'installer à Montréal. Karl lui laisse lentement assumer ses talents, et peut enfin se consacrer à sa recherche, qui l'occupe à tel point que je ne remarque pas sa présence. Depuis quelque temps déjà, il délègue tout à Elseva. Elle s'en montre capable. Elseva attire tout naturellement les artistes, et l'art est le véhicule le plus explosif, le plus universel des convictions et valeurs. Elseva me repère parmi les jeunes gens confiants en l'avenir. J'ai peu de mérite: j'ai eu la chance de naître dans une famille sans histoire, où on n'était pas assez intellectuel pour se mêler à la débâcle métaphysique générale. Tout petit et malléable, on m'a inculqué l'idée que la bêtise humaine est une exception, et non la règle. Voilà pourquoi j'ai connu tôt la maison d'Elseva.

Déjà, à ma première visite chez elle, l'excentrique Elseva recrute discrètement. Elle a une intuition sûre, une faculté de pénétration inouïe. En somme, Karl lui a confié une immense responsabilité: agir sur la teneur artistique d'une époque dans cette partie chatouilleuse de l'Amérique. Et naturellement! Sans forcer ni essayer de convaincre quiconque! Pour y arriver, elle assume littéralement le rôle de muse. Intéressée, quoique secrètement.

Je me rappelle que, lorsque j'étais chez elle, jeune, on parlait beaucoup des problèmes de l'heure, comme le font tous les étudiants pour régler le sort du monde. La grande salle en damier devenait parfois une arène. Je ne sais pas où elle prenait le temps de s'informer de tout ce qui se passait dans le monde et d'y réfléchir, mais elle y travaillait ferme.

Elle semblait moins attentive aux problèmes du quotidien à la fin des années 80, au moment de notre histoire: elle avait un certain dédain pour l'information véhiculée par les médias. Comme si elle avait tiré, déjà, ses conclusions. Ou peut-être son héritage difficile a-t-il mené à une réflexion plus originale, plus hermétique que celle de ses premiers jours comme muse. Fille d'un juif pauvre émigré de l'Est, éduqué à force de sacrifices, elle avait connu deux mondes. Née à l'Est, chassée vers l'Ouest, elle embrassait maintenant du regard un coin d'Amérique, pour tenter d'y laisser une œuvre de beauté due en partie à son intervention. Science-fiction? Non. En période de vide ou de chaos spirituel, de telles choses prennent beaucoup d'ampleur.

Elle n'était rien de moins qu'une femme, finalement. Même si, de tout ce temps et de ce labeur d'espoir, elle ne semblait pas vieillir. Ce qui était en elle, et qui rendait cette maison possible à la fin des années 70, se trouvait encore intact au moment où j'ai détruit ma maquette, lui refusant de nourrir son rêve du mien. Voilà pourquoi elle m'avait chassé!

J'avais mis sa mission en péril, et haï Elseva à mort; en voyant mon travail naître avant terme, je l'avais condamné sur-le-champ. J'avais renié mon rêve, à l'état d'embryon. J'avais fait avorter mes aspirations...

Mais cette femme n'avait pas d'autre méthode que la confrontation pour arriver à ses fins! Fallait-il qu'elle mette tout en péril? C'était dangereux: de l'autodestruction. Et le point de rupture arriverait bientôt au rythme où c'était parti.

Parce que tous, ou presque, nous nous étions révoltés contre Elseva... Skiller, d'abord. A l'idée d'appartenir à un groupe plus ou moins organisé, d'avoir été manipulé, il avait détruit tout ce qu'il avait peint entre les murs de la maison. Puis, il avait essayé de changer son travail, son style, en quelque sorte de défaire ce qu'il avait entrepris et, ne réussissant pas à se nier lui-même, il s'était tué pour se soustraire à une cause imposée. Une intégrité pareille est une chose rare, que je ne peux pas me vanter de posséder. Telle que je la connais, Elseva avait même dû encourager sa révolte contre elle dans sa recherche de vérité. Mais son intervention avait échoué. Jamais plus Skiller n'aurait retrouvé la spontanéité et l'intégrité d'un artiste indépendant. Elseva s'était ingérée trop loin.

Si bien qu'à nous, elle n'osait plus dévoiler la source de tant d'argent, l'origine d'un mécénat aussi puissant: elle avait eu peur.

Puis, Gisèle s'était mise à la remettre en question, avec l'acharnement d'une rivale. Kathryn, la sémillante, s'était aussi révoltée, mais tout naturellement contre l'autorité, sans plus. Piotr, après l'U.R.S.S., se serait balancé d'un complot aussi inoffensif, qu'il en eût connu ou non les tenants...

Restait M'Clintock, qui ne logeait même pas dans la maison, qui ne s'y insérerait jamais vraiment, j'en étais persuadé. Tel un magicien ambulant, il prenait ses chances où il les trouvait, donnait de son talent où on le voulait, et que le diable emporte le reste. Sans oublier Jeanne Witz qui, j'en suis sûr, savait l'existence de la fondation, mais n'en parlait pas. D'ailleurs, qui me croira? N'est-ce pas un peu chevaleresque, mythique, de parler de l'existence d'une telle machination de l'espoir, à la fin d'un siècle ou de telles connivences (ecclésiastiques, etc.) n'ont produit que des aberrations? Où le supposé Bien a fait des ravages?

Plus j'écoutais Bianca, ce soir-là, plus je comprenais la vulnérabilité et l'ambition d'Elseva, plus je les pesais, et plus j'étais bouleversé. Ainsi donc, elle ne se sacrifiait pas comme la première illuminée venue... Au contraire, elle s'était faite terrible pour mieux travailler à des fins sublimes... Mais on n'avait rien vu...

Sous le coup de l'émotion, j'ai fait une gaffe: j'ai parlé à Bianca de la mort de Karl, persuadé que c'est ce qui l'avait amenée chez Elseva. Mais Bianca a pâli, et balbutié: «Mais alors qui la... remplacera?»

Ensuite, j'ai cherché à savoir si Bianca avait un rôle dans toute l'affaire. Non, à l'écouter parler, sa présence ici était fortuite: Gabriel l'avait entendue à la radio, s'était mis en contact avec son agent, et avait profité de son passage à Montréal pour lui proposer de travailler avec lui. Elle n'avait pas hésité, curieuse de revoir Elseva. Mais son ton était si évasif, à ce sujet-là, que j'hésitais à la croire tout à fait.

Comme tout ce qui concerne Elseva, un tas de questions se sont mises à m'agiter les synapses au moment même où je croyais avoir compris quelque chose. Les conspirateurs s'étaient-ils disséminés en une décennie? Leur organisation était-elle donc tissée si peu serré qu'elle ne les avait pas retenus? Mais alors, qu'advenait-il de toutes ces sommes investies dans le «trésor» d'Elseva, et qui devaient leur appartenir? Qui abandonnerait une richesse pareille? Même pas les plus purs des philanthropes! Ou peut-être Bianca était-elle ici pour surveiller discrètement l'administration de cette fortune, voyant que Karl vieillissait, et qu'Elseva en assumait totalement le contrôle... Des dispositions devaient avoir été prises en vue d'une telle éventualité...

Et là, j'ai eu peur que les visées de cette conspiration, même tacite, soient menacées. Notre travail, à tous, chez Elseva, était de réinventer le monde, de précipiter peut-être son avenir, de galvaniser déjà demain. De rayonner, quoi! Mais pourrait-on continuer aussi spontanément à le faire, maintenant qu'on savait de quoi il retournait?

Et ma ville alors?

Ma ville...! Comme elle me semblait différente, tout à coup! Je crois bien que je suis resté un moment pantois, m'ancrant dans le matelas rustique de Gabriel. Après réflexion, j'ai haussé les épaules, j'ai ri: ce qu'elle était contagieuse, Elseva! Et, laissant là Bianca et Gabriel, je me suis précipité sur le téléphone dans le bar, et j'ai envoyé un télégramme confidentiel à Gisèle: «Enigme enfin résolue. Décision magistrale s'impose. Viens vite à l'auberge. Bouche cousue».

Elle est arrivée le lendemain matin, rétive mais, comme toujours, curieuse. J'avais retenu une chambre pour la nuit. Après mon monologue de près d'une demi-heure, elle a seulement dit: «Mais avoue que ça n'explique toujours pas ces "pouvoirs" qu'elle a. Elle lit dans nos pensées, elle prévoit souvent ce qu'on va faire. Elle fait arriver des choses par sa seule présence; elle peut nous habiter littéralement. Comment expliques-tu ça?»

— L'intelligence, le sens de l'observation, une personnalité très puissante? Un peu d'hystérie, peut-être? Je ne sais pas. Mais c'est comme ça qu'elle exerce sa créativité, Gisèle. C'est incroyable! Pense un peu. Elle donne à sa maison la dimension qu'elle veut donner à l'art... C'est son œuvre à elle. Et puis laissons-lui un peu de secret, OK? Au fond, Elseva est peut-être une écorchée vive, avec une sensibilité presque intenable, qui sent tout venir. Sinon, pourquoi la carapace? C'est une bombe humaine, toujours en instance de vivre ou de mourir, qui rend l'air plus dense, plus intense partout où elle passe. Et puis je ne veux pas tout comprendre... Elle a ses techniques, ses secrets d'artiste. Et on a participé au jeu. On s'est faits enfants trouvés. On était perméables dès qu'on est arrivés chez elle: on souhaitait un peu de magie, une vie hors de l'ordinaire...

Et j'ai pensé, sans le dire à Gisèle: «J'étais tellement hors de moi le soir de ton accident au chantier... Tes blessures n'étaient peut-être pas aussi graves que je l'ai d'abord cru: une légère commotion cérébrale, peut-être? Qu'est-ce que je connais des premiers soins, moi? J'avais perdu toute espèce d'objectivité à ton égard. Je voulais tellement te protéger, tellement t'être nécessaire, moi Homme, toi Jane...»

— Paul? Paul! Réveille! Je pense à Bianca... Si elle est venue pour surveiller Elseva, elle reviendra bientôt à la maison, non? Elseva perd du terrain, avec la maison qui se vide... Crois-tu qu'une organisation comme celle-là rappelle ses membres?

— T'as raison...

— Mais tu te rends compte? Quel scénario! Et quel personnage! On n'a plus la réalité qu'on avait...

— Si je t'avais raconté tout ça avant de venir à Montréal, tu serais venue quand même?

— Encore plus vite.

— C'est bien ce que je me disais... Seulement là, tout semble changer...

On est restés quelques jours à l'auberge, plus au lit qu'ailleurs: le temps de me refaire un foie et de réfléchir de tous nos pores, qui se réapprivoisaient... J'ai pris les premières vraies vacances de ma vie. On s'est promenés comme des gitans pendant quelques semaines, d'une petite ville à l'autre, des Laurentides à l'Estrie, puis on a filé sur un coup de volant vers la côte du Maine, presque déserte en fin d'hiver, pour voir de quoi pouvait avoir l'air la mer. Dans les dépanneurs, les garages, les haltes routières, les restos, on parlait aux gens. Sans préméditation. Ils n'avaient déjà plus confiance en la politique, et je me demandais combien de temps encore ils accepteraient d'être découragés... Gisèle et moi, on ne s'était jamais vraiment attardés aux vraies questions, celles qu'on escamote, mais qui sous-tendent pourtant notre vie en commun. Là, sans insister, on l'a fait ensemble. On se retrouvait subitement heureux, à contre-courant, et on en avait assez! A nous l'énergie de combattre, puisqu'on était comblés! Surtout, la lutte nous séduisait parce qu'elle était originale, et de taille. Et si personne n'était là pour faire germer un peu d'espoir? Qu'arriverait-il si nos contemporains continuaient de se contenter d'accuser et de condamner, sans aller plus loin, comme ça se voyait partout, de la plus humble des conversations de cuisine jusqu'aux émissions les plus sophistiquées des médias? Lequel de nos penseurs, de nos dirigeants, ou de nos entrepreneurs trouverait alors l'énergie, la conviction pour attaquer les cuisants problèmes de fin de millénaire? Déjà on aurait dit que tous les cerveaux se parcellisaient, se confinaient à des domaines pointus, trop pointus... Qu'est-ce qui nous attendait, comme vision d'ensemble, comme valeurs? On est toujours tributaires d'un peu d'avenir, qu'on le veuille ou non... Pas pour nos enfants, pour soi. Parce qu'il faut vivre dans le monde, et maintenant!

Un matin, Gisèle m'a frôlé le nez de ses joues apaisées pour chuchoter: «Qu'est-ce qu'on attend?» Je n'attendais qu'elle. Quelques heures plus tard, en plein printemps, sous une lumière déjà dorée et chaude qui batifolait sur la carrosserie, on rentrait en ville, vers la maison d'Elseva. Pour la première fois de ma vie, j'ai réfléchi sérieusement à Walt Disney...

La camionnette bleu poudre était devant la maison, comme un morceau tombé et oublié du ciel d'hiver. Les arbres avaient encore l'air frileux, mais commençaient à sentir la sève. S'ils étaient si menacés par un danger aussi terrible que la ville, comment faisaient-ils pour survivre, ceux-là? Surtout ici, quand il avait gelé à faire fendre le ciment? Comment se fait-il qu'ils ne fendaient pas, eux? C'est que Gaïa s'avère moins agonisante qu'on le pensait. On s'en rendrait bientôt compte avec le sida, qu'elle avait ses moyens à elle, autrement plus terribles que les nôtres...

En attendant, on se restationnait devant la maison d'Elseva, des mois après notre arrivée, dans une autre voiture louée... Je n'aurais même pas songé à en acheter une. Pas pour des raisons écolo, non, mais bien parce que je n'avais jamais voulu m'éloigner de la maison à ce point...

Un citadin un jour m'a dit: «Ouain mais, la pollution des moteurs, des usines, est en train de tuer les arbres des campagnes!» Ce à quoi j'ai répondu: «Sans ces usines qui fabriquent ces moteurs, chose, verrais-tu aussi facilement les arbres des campagnes? Et t'en soucierais-tu? Sans la voiture, t'en verrais pas, à moins de faire toute une expédition. Et alors, ils te gêneraient, dans tes sentiers de carrioles, ces arbres!

"aurais pas le luxe ni le temps de t'extasier dessus!» Mais passons...

On s'est recueillis un moment, en admirant la façade dans une glorieuse lumière de printemps. On n'avait jamais eu de clés, et la porte était close. Si M'Clintock n'avait pas été là pour nous ouvrir, il aurait fallu rebrousser chemin, parce que personne n'aurait répondu à la sonnette magique d'Elseva. Elle n'était pas là, nous a dit M'Clintock — il ne l'avait pas vue depuis des jours. Bon, il n'était pas le premier. Depuis le départ de Gisèle, renchérissait-il, il l'avait à peine entrevue. Et maintenant, elle semblait bel et bien partie: il avait trouvé il y a trois ou quatre jours les clés de la porte avant, sur la commode, bien en vue. Il ne savait plus à qui les remettre. On a conclu que son travail ici devait être terminé.

«Quand elle reviendra...», a-t-il dit seulement, avec une brève étincelle sous ses lunettes, «dites-lui...», et il n'a pas achevé.

— Quand elle reviendra, j'irai te chercher, lui ai-je répondu. Le soir, au café-loft, je sais où te trouver.

Il est monté dans son morceau de ciel, est parti avec. On restait seuls dans la maison. Elle était négligée. Gisèle a repris son scénario et moi, je me suis mis à faire un peu de ménage: cette maison avait besoin de soins.

Le lendemain ou le surlendemain, je ne sais plus, j'ai emmené Gisèle voir mon immeuble achevé. D'une voix bien plus grave que je ne le voulais, je lui ai tout raconté son «accident», et sa «guérison». Elle m'écoutait à petit souffle. Un grand pan du drame était resté vague dans son esprit. Un sourire rêveur:

«Je m'en doutais», a-t-elle dit. «Je devinais qu'elle était venue très très près, qu'elle était... intervenue, mais c'était flou comme dans un rêve. Je me demande si c'était vraiment grave. Mon corps ne... Ça ne se sent plus...»

Au retour, je l'ai déshabillée, pour toucher ce corps un peu amnésique, y fleurer enfin tout ce qui était survenu là, ce jour de chute. Je suis allé trouver, en elle, la source ténue des désirs, des folies, et des grands orages. Que j'ai effleurée seulement. Mais j'en suis revenu humble et silencieux comme après une éclipse.

De ce «nous», car nous étions enfin devenus un véritable «nous», Gisèle et moi, nous étions à présent en mesure de faire naviguer le grand, le véritable amour. Tempêtes et pannes ne le mettraient pas facilement en péril, pas tant qu'il y avait des éclipses et des aurores boréales en chemin. C'était un long voyage, parfois difficile, mais souvent panoramique, que cet embarquement commun qui est, en fait, une traversée de l'être le plus aimé. Devenu grand comme une planète. Nous ressentions, pour la première fois, une quiétude à laisser passer les heures, une sagesse à laisser survenir les choses. Dans les lieux silencieux de la maison déserte, nous avons refait nos rites intimes comme autant de mouillages, nous avons abordé, frôlé des territoires inconnus après des silences en cale sèche; nous nous sommes même baptisés au champagne. Il y a des moments où nos pensées se touchaient d'elles-mêmes, comme voyageurs devant paysage, sans que nous ayons besoin d'échanger un regard ou un mot. D'autres, où nous nous laissions mutuellement tranquilles, chacun dans son transat ou à ses manœuvres, l'un en poupe, l'autre en proue. Nous avions choisi l'ultime embarcation, aussi lourde que sublime: ce «nous».

Elseva est entrée dans notre chambre un après-midi de jour pluvieux. La porte n'était pas fermée; nous étions deux enlacés, seuls en mer. Elle a dû rester un moment interdite, est sortie en fermant la porte derrière elle. Quand je l'ai entendue descendre un peu plus tard, j'ai éveillé Gisèle: il était temps de se revoir.

Elle était dans la serre, dans un lumière de fin de jour irisée par des feuilles tropicales fraîchement arrosées. Une petite musique émanait de la neige fumante et agonisante du dehors. Gisèle me tenait la main, nous la regardions tandis qu'elle laissait couler ses yeux sur nos visages à travers cette aura de calme qui nous enveloppait.

— Pourquoi êtes-vous revenus?

Ce «pourquoi», dans sa bouche, était un mot insolite, que je ne l'avais jamais entendue prononcer.

— Pourquoi nous avoir caché l'existence du Club de Venise?

Elle s'est reculée pour dérober son visage à la lumière. Ses pieds nus, sur les tuiles froides de la serre, étaient gages de déferlement. Je les ai vus zébrer le sol, avancer vers la pièce magique de M'Clintock dans l'atelier. Elle est entrée dans la capsule d'espace irréel et violet qu'il avait tissée là, et les dimensions escamotées ne lui donnaient plus que l'apparence d'une ombre.

«Il n'y a pas de Club de Venise», murmura cette ombre.

Tenus en respect sur le pas de la porte, nous n'osions pas entrer. Où était-elle au juste, dans cette espèce de fausse aurore où nous ne voyions ni plancher, ni murs, ni repères autres que son ombre semblant suspendue? Qui était-elle à la fin? Que disait-elle?

— Sors de là, Elseva. Explique-nous une fois pour toutes.

L'ombre bougea. «Le Club n'a existé que dans la tête de Sartone. Sartone n'est plus. J'ignore qui va s'occuper de la fondation maintenant. En fait, une telle œuvre ne *s'organise* pas. La nature, les probabilités peuvent s'unir. L'œuvre des hommes est individuelle. Seule Bianca croit qu'il y a encore un Club de Venise. C'est sa ville imaginaire, le rêve de son père qu'elle perpétue.»

— Mais tous ces chefs-d'œuvre en bas...

«Sont tout ce qui reste des morts...»

Sa voix n'avait-elle donc plus de résonance? Elle me sembla éviscérée, issue de très loin... Le trompe-l'œil pouvait-il être à ce point parfait?

«Ils sont tous morts, leur Israël est ici.»

Le silence enveloppa tout. L'ombre, dans la capsule, nous semblait se distancier. Elle s'apprêtait à quitter le présent. Elle s'était tissé un chemin à travers le temps, un chemin où elle était à présent seule. Une race s'éteignait en elle.

On s'est précipités dans la capsule M'Clintock. Il était difficile de l'atteindre, sans repères, mais il fallait la saisir. A bout de quatre bras, on l'a trouvée. Pas même un souffle en son corps ne se laissait entendre. Elle ne mourrait pas sur-le-champ, mais se laisserait disparaître.

Si nous avions fermé la porte sur elle, cette porte qu'on pouvait si facilement verrouiller de l'intérieur, je ne sais pas ce qui en serait sorti. Je crois que l'énergie qu'était Elseva se serait là encapsulée. Cette incroyable énergie qui avait porté une aussi étrange maison jusqu'au sublime, contre le poids du quotidien, contre la déroute du morne, qui avait affronté temps et lieux comme un étendard farouche, en notre propre vie, ne pouvait se taire sans s'autodétruire.

Des heures ou des jours plus tard, il serait peut-être sorti de l'œuf M'Clintock un spectre, un être amaigri bien drapé, camouflé dans un tissu lui voilant jusqu'au visage. Fibre de défaite, qui aurait enseveli comme un linceul tous les contours qu'avait déjà pris la vie... Et on aurait entendu un bruit sec dans l'escalier, comme des os tombés sur du marbre, une chute, la déroute du sublime vaincu par le poids inexorable de l'ordinaire. Avançant, pas après pénible pas, pour monter disparaître au troisième. Rien qu'une ombre, réellement...

Et même si cette ombre avait lutté là-haut, qu'est-ce qu'on en aurait su? Comme d'habitude, ça n'aurait rien demandé, ultime grâce. Ça serait monté s'effacer. A jamais.

Non. Pas de mon vivant.

Parce qu'on est allés la chercher. Et dans la capsule, tout pouvait, plus que jamais, arriver: c'est une pièce enceinte à perpétuité. Ce n'est pas uniquement le mausolée in absentia de Karl, comme je l'avais cru en voyant entrer M'Clintock, mais plutôt un réveille-matin cosmique. L'envers de la mort.

Dans le mauve environnant, Elseva nous a laissés essayer de la ramener... jusqu'à lui découdre les manches. A ce son de déchirement, on a cessé séance tenante de lutter contre sa volonté, et on a attendu. Jamais loin d'elle, même dans ces dimensions flouées. C'est un lieu où il était plus facile d'être seul. Parce qu'on pouvait perdre les autres de vue, même à haleines confondues. Ils pouvaient ne plus exister, sinon qu'en étranges ombres, dans la déroute des sens.

On a commencé à la veiller debout, on s'est tassés sur nos soi, on s'est arrondis, relâchés, puis on s'est assis. A dos ronds contre des cloisons feutrées. Les horloges devaient tiquer, ailleurs. Pas là. Où le temps coulait sans se montrer. Capsule temporelle de fin de siècle.

Un sommeil est venu. Le mauve s'est habité de trois respirations lentes à contretemps. Mais il ne fallait pas se réveiller trop, sinon ces souffles étaient galaxie, car c'est tout ce qu'on percevrait avec certitude. Un vacarme. Je ne sais pas ce que M'Clintock a mis sur le sol, mais c'était plutôt mou, à étouffer tout autre bruit, même ceux de nos mouvements.

On s'est réveillés les trois, enlacés, à membres rejetés, comme après long naufrage. Mais Elseva avait encore les yeux fermés. Gisèle s'était avancé les mains sur son visage. Et Gisèle m'a collé au bras son doigt: mouillé d'une larme, elsévienne.

Comment susciter la vie sinon en la faisant sentir, quand elle parle bien? Parce qu'on était devenus près d'elle ce qu'on était à présent, c'est ce qu'on a fait. Avec nul autre jamais, mais avec Elseva... Le premier langage de l'espoir, c'est d'être en vie. Et on l'a balbutié. Sitôt réveillés, on aurait normalement bougé pour revenir tous deux dans nos quant-à-soi. Et, délibérément, on ne l'a pas fait. Je redoute la tendresse, si facilement mièvre, à moins qu'elle soit ultimatum, qu'il n'y ait rien d'autre possible. On a fait pire, on est restés là contre Elseva, à l'entourer sans bouger d'un millimètre. C'est à la seule condition de cette entière passivité que des natures comme les nôtres pouvaient se faire sentir intensément à elle. C'est tout, mais c'est infiniment prier. Trois êtres en étroite conjoncture. A mêler nos bulles. A donner à nos peaux toute leur loquacité humaine. A-t-on sécrété des phéromones, des désirs? Sans doute ces cerveaux primitifs en nous fantasmaient-ils comme ils le doivent, comme ils le devront toujours. Et, foi d'humains de l'an 2000, il n'y a rien comme de laisser faire ces zones limbiques, et d'admirer les désirs qui passent. Quand ces désirs ont fait parade, on les regarde nous quitter, souriant comme devant l'aube: on en est secrètement plus vivant. Infiniment reconnaissant envers l'*homo faber*.

Donc trois êtres, malgré eux dans une capsule, qui ne dorment pas, mais vivent, *se* vivent à écarter tout le reste. Pour redonner à l'un quelque chose comme le plaisir d'être né. Il n'y a pas d'acceptation plus inconditionnelle.

On l'a sentie sourire, et des heures de temps, peut-être, à la façon d'un long aria, le sourire s'est fait rire profond. Tout aussi long. On l'habitait. Et tout doucement, Elseva s'était subtilement durcie, opacifiée au fil des sons que nous n'osions pas faire.

Après nous l'avoir donnée, Elseva méritait, elle aussi, une Renaissance.

Voilà qu'elle s'était levée, nous entraînait vers la porte, nos jambes flageolantes en raison du jeûne. Mon pantalon s'était agrandi. Le corps en sait, des choses. Des heures et des heures venaient subitement de se passer.

Elle nous a regardés pour la première fois avec des yeux qui se laissaient être. Pas des yeux-cibles, des yeux-vrilles, des yeux-distance. Non, des yeux, faits d'une vulnérable cornée, d'un iris plein de petits points discordants, d'ébauches de gestes, de replis tendres, d'or pudeur et de restes de mauve d'ombre. Tout un univers cristallin, vu derrière la claire silhouette de nos visages qui y étaient reflétés. Nous, devant ces fenêtres de l'âme elsévienne... enfin, enfin ouvertes! O joie, quand tu nous tiens...!

Je comprends pourquoi elle les voilait si souvent de dure opacité, ces yeux. Là-dedans, c'était si généreux, si beau, si secret que ça en devenait gênant. La bonté pure! J'ai compris alors que la vraie bonté n'est pas forcément insignifiante, ni sans conséquences...

On s'est rhabillés de temps, on a repris nos places. Si sereins, que c'est arrogant d'être aussi profondément heureux!

Depuis, jamais architecte n'a été aussi occupé que moi. Jamais femme auteur n'est devenue plus insolente que Gisèle! Oui, ce jour-là, il a fallu dormir pour vrai et manger un peu par la suite. A rire, à trois, comme des affamés. Vivante, Elseva? Allez donc voir!

Je n'ai pas attendu pour retrouver M'Clintock et continuer la conspiration — à son insu.

On a loué un gigantesque atelier près du port. Où Kathryn vient nous danser autour, parfois. Avec M'Clintock, on s'est mis à trafiquer de faux kiosques à journaux. Qui ont l'air inoffensif à première vue. Et qu'on déplace facilement, quand on n'a pas l'accord de la municipalité ou pas la patience de l'attendre. On les sème à vents urbains. Ces supposés kiosques, ce sont des capsules M'Clintock, qu'il a si bien réussies qu'elles ont l'air vastes, de l'intérieur. On s'y retrouve comme à l'aube des temps, quand tout était possible, quand on pouvait s'inventer et que tout restait à faire. L'effet est saisissant, surtout quand on ne s'y attend pas: retour à soi, une mise en demeure d'y être, quoi! Suffit d'ouvrir et on est pris. Espoir, entends-tu?

Si on est trop chamboulé, on sort. Mais pas pareil à lorsqu'on est rentrés. Parce qu'on est plein de questions, fondamentales.

Tous les deux, on a espionné nos victimes; je dirais que trois personnes sur dix ressortent avec une joyeuse malice aux yeux. Trois, c'est peu, mais c'est bien assez. Je me prépare à changer le modèle, moi l'architecte, et j'envisage, les riant d'avance, des cabines téléphoniques nouveau genre...

On vient de me donner un contrat de dépanneur. On n'en aura jamais vu de pareil. On y trouvera une troisième et étrange toilette: l'œuf M'Clintock. En rouleau hygiénique, les feuillets de Gisèle. Avec de l'encre qui se lit, puis disparaît après cinq minutes d'exposition à la lumière naturelle une fois dehors. Sortez vos antennes, et vite! A go, vivez!

Gisèle a vendu son scénario, qu'on produit. Jeanne lui en a commandé un autre. Quand elle n'écrit pas des paroles pour Gabriel ou Bianca, elle travaille à une émission pour l'enfance, où la vie ordinaire est chamboulée de sublime, et devient une planète à explorer, tout supposé acquis recélant une suprise. Pas seulement pour tout-petits, non. Mais endormis s'abstenir, c'est de l'existence-fiction...

A faire comme ça, on gagne un peu d'argent. L'œuvre se bâtit jour après jour. On n'a pas besoin de dépenser une fortune pour ce qu'on crée. Elseva contribue ce qui manque. Ce qui ne durera pas, à mesure que nos noms commencent à circuler, et qu'on organise des nuits d'enfants terribles un peu partout dans la verdure urbaine. A notre tour, on participera peut-être bientôt à la caisse commune.

Elseva est là, surmontant son trésor, et toujours qui surveille, sans donner l'apparence de vieillir.

Montréal en a, des arbres, maintenant. Dont il faut profiter pleinement! Pour nos nuits impromptues, on a fait reproduire et gonfler comme des voiles les toiles restaurées de Skiller, qu'on suspend aux plus hautes branches, au moyen d'échelles qu'on traîne silencieusement derrière nous au moment où la nuit tombe; on la relève, quoi, juste avant le dodo. Ou pendant, selon la difficulté du terrain. On conspire, on conspue du sublime comme plus-value sur la chrolophylle. Précisément à l'heure où les arbres en ont encore moins à dire, occupés à dégager du gaz carbonique.

Avec le matériel portable de Gabriel, on diffuse sa musique dans nos voiles peintes, qui en gonflent comme pour emmener même la nuit. Quand il ne fait pas trop froid, Bianca chante et Kathryn danse sur la nature. On fait parfois sacrilège en froissant un peu les branches, mais on s'en fout, puisqu'il paraît que la musique est bonne pour les plantes.

Moi, l'architecte, je décore ces nuits, j'éclaire les voiles de spots à génératrice qui allument le voisinage. M'Clintock participe au transport dans sa camionnette bleu ciel. J'attends des nouvelles de Piotr pour lui commander des sculptures portables. La dernière fois, on a fait la fête dans le petit bois de l'avenue Jean-Brillant, à l'Université de Montréal. Notre première a eu lieu dans le boisé du Summit Circle. Où on a appris à détaler en douce sous l'avance policière, laissant volontairement nos grandes toiles flotter d'espoir sur l'horizon de la ville. Peu importe qu'elles déteignent, on ira les récupérer avant qu'elles soient complètement biodégradées. On en a des dizaines de copies, pliées comme des parachutes à l'atelier, ce qui me donne d'ailleurs une idée... de tente, de gigantesque tente d'hiver... Il faudra, moi aussi, que je m'achète une voiture ou une camionnette.

Parce qu'il n'y a pas que Montréal... Non, on n'a pas construit ma ville encore, mais sait-on jamais...

Et j'exulte comme je le pressentais quand je suis arrivé à cette maison. Gisèle en est venue à rire d'une façon presque indécente. C'est désarmant comme une cascade sous cloche, d'une gaieté si terrible qu'elle doit souvent faire comme Elseva avec ses yeux: retenir et attendre. Sous peine qu'on l'arrête en pleine rue, pour voie de fait de l'inconscient, sorte d'attentat à la pudeur. Mais chaque semaine la cascade s'entend plus fort: on dirait que nos contemporains se remettent tout doucement à sentir la vie. Ils n'auront bientôt plus peur de tout ce qu'ils mangent, et se referont confiance, si on nous laisse faire. Parce qu'on n'arrête jamais le vrai progrès. Le progrès humain, je veux dire.

Elseva, ce soir, viendra avec nous au parc pour une troisième nuit d'enfants terribles. Parce qu'elle s'est remise à sortir... On la détecte à ses grandes capes, le soir, sous la lueur des réverbères, à reprendre le pouls de la ville. Magnétiquement drapée, ondoyante, opaque, mais lumineuse. Guettez les ombres!

Et nos trajectoires se croisent, se suivent et se ramifient, au gré de la vie. Tandis que la maison d'Elseva sourit de plus belle, dans ses arbres perchée, plus que jamais comme le chat du Cheshire.

Montréal, 1994

• Cap-Saint-Ignace
• Sainte-Marie (Beauce)
Québec, Canada
1995